POKéMON
13
™
ROJO FUEGO Y VERDE HOJA
DIBUJO:
SATOSHI YAMAMOTO
GUIÓN:
HIDENORI KUSAKA

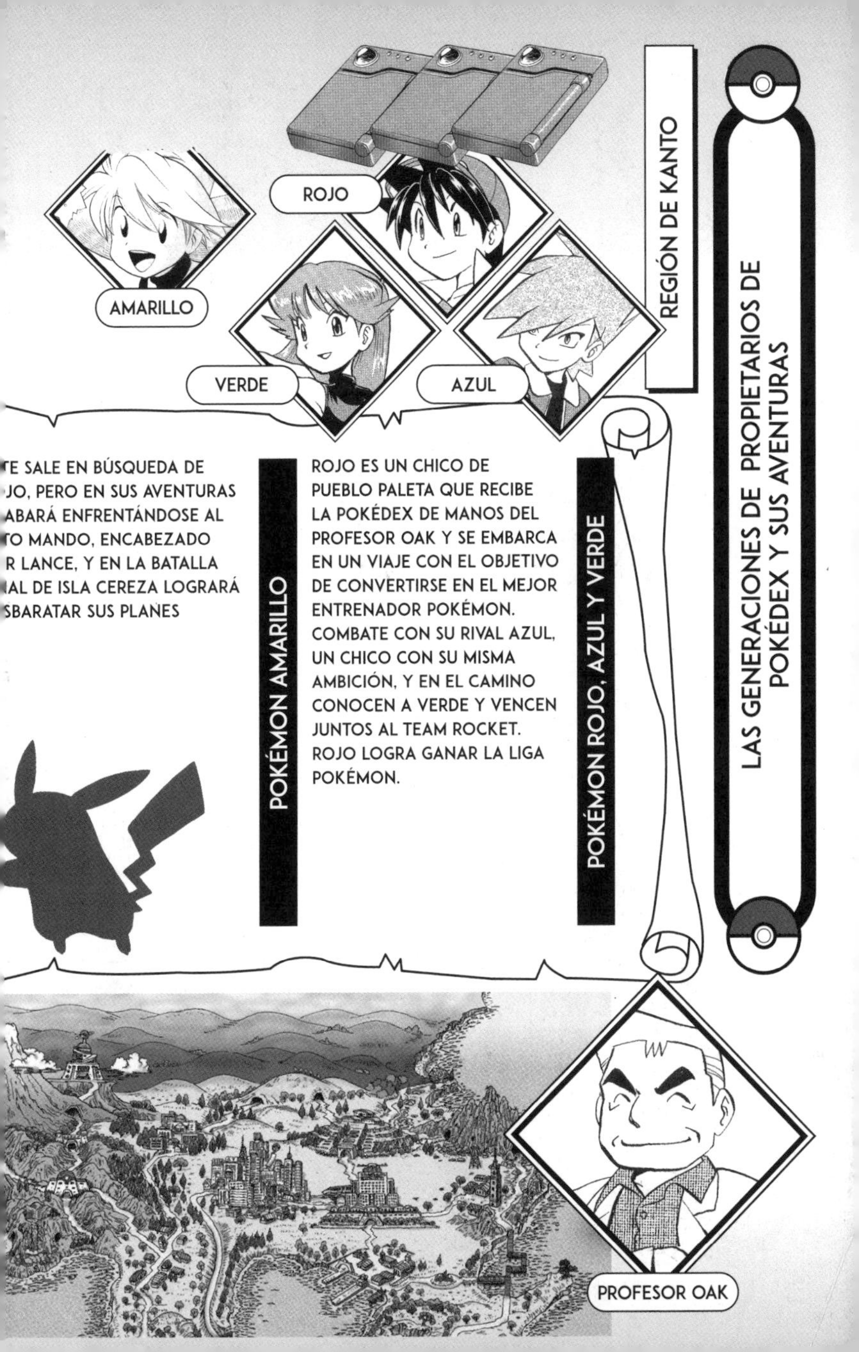

LAS GENERACIONES DE PROPIETARIOS DE POKÉDEX Y SUS AVENTURAS
REGIÓN DE KANTO
ROJO
AMARILLO
VERDE
AZUL
POKÉMON ROJO, AZUL Y VERDE
ROJO ES UN CHICO DE PUEBLO PALETA QUE RECIBE LA POKÉDEX DE MANOS DEL PROFESOR OAK Y SE EMBARCA EN UN VIAJE CON EL OBJETIVO DE CONVERTIRSE EN EL MEJOR ENTRENADOR POKÉMON. COMBATE CON SU RIVAL AZUL, UN CHICO CON SU MISMA AMBICIÓN, Y EN EL CAMINO CONOCEN A VERDE Y VENCEN JUNTOS AL TEAM ROCKET. ROJO LOGRA GANAR LA LIGA POKÉMON.
POKÉMON AMARILLO
TE SALE EN BÚSQUEDA DE
JO, PERO EN SUS AVENTURAS
ABARÁ ENFRENTÁNDOSE AL
TO MANDO, ENCABEZADO
R LANCE, Y EN LA BATALLA
AL DE ISLA CEREZA LOGRARÁ
SBARATAR SUS PLANES
PROFESOR OAK

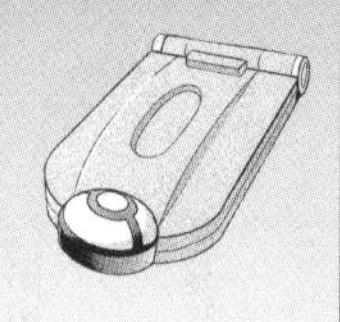

REGIÓN DE HOENN

ORO

CRISTAL

PLATA

POKÉMON RUBÍ Y ZAFIRO

RUBÍ, UN CHICO APASIONADO POR LOS CONCURSOS POKÉMON, ESCAPA DE CASA NADA MÁS MUDARSE A VILLA RAÍZ. EN EL CAMINO CONOCE A UNA NIÑA SALVAJE LLAMADA ZAFIRO QUE HACE UNA APUESTA CON ÉL.

POKÉMON ORO, PLATA Y CRISTAL

TRANSCURRE OTRO AÑO. ORO, UN CHICO DE PUEBLO PRIMAVERA QUE SE HA CRIADO ENTRE POKÉMON, SALE A PERSEGUIR A PLATA, EL ENTRENADOR QUE HA ROBADO EL TOTODILE DEL LABORATORIO DEL PROFESOR ELM. AUNQUE INICIALMENTE ESTÁN ENFRENTADOS, AL FINAL ACABARÁN CONVIRTIÉNDOSE EN ALIADOS. CONOCERÁN A CRIS, UNA CHICA A LA QUE EL PROFESOR OAK HA ENCARGADO COMPLETAR LOS DATOS DE LA POKÉDEX. JUNTOS ACABARÁN CON LOS PLANES DEL HOMBRE ENMASCARADO, RESPONSABLE DEL RENACIMIENTO DEL EXTINTO TEAM ROCKET.

HAN PASA
DOS AÑO
ROJO SE
ENCUENT
EN PARAD
DESCONC
CIDO Y E
EL LABOR
TORIO DE
PROFESO
OAK APAR
UN ENTRE
NADOR
MISTERIO
LLAMADO
AMARILLO

REGIÓN DE KANTO
ROJO
VERDE
AZUL
ZAFIRO
RUBÍ
HAN PASADO OTROS SEIS MESES. EL PROFESOR OAK LLAMA A ROJO Y AZUL PARA QUE SE REÚNAN CON ÉL EN SU LABORATORIO. CUANDO LLEGAN ESTÁ VACÍO Y SON ATACADOS POR UN MISTERIOSO ENEMIGO. ¡EL PROFESOR LES HA DEJADO UN MENSAJE EN EL QUE LES PIDE QUE LE ENTREGUEN LAS POKÉDEX!
POKÉMON ROJO FUEGO Y VERDE HOJA
ZAFIRO TIENE QUE VENCER A TODOS LOS LÍDERES DE GIMNASIO Y RUBÍ GANAR TODOS LOS CONCURSOS POKÉMON EN EL PLAZO DE 80 DÍAS. MIENTRAS TANTO, EL EQUIPO AQUA Y EL EQUIPO MAGMA DESPIERTAN A GROUDON Y KYOGRE, LOS POKÉMON ANCESTRALES, Y SU ENFRENTAMIENTO AMENAZA CON DESTRUIR TODO HOENN. RUBÍ Y ZAFIRO LO ARRIESGAN TODO EN UN DESESPERADO COMBATE Y LOGRAN VENCER A AMBOS POKÉMON, QUE VUELVEN A SU PROFUNDO SUEÑO HUNDIÉNDOSE EN LAS ENTRAÑAS DE LA TIERRA.

POKÉMON 13

ROJO FUEGO Y VERDE HOJA

Índice

CAPÍTULO 178

FLASH
¡¡TENEMOS UNA FUGA!!
ESTO SUCEDIÓ AÑOS ATRÁS...
ANTES DE QUE EL HOMBRE ENMASCARADO ATERRORIZARA A LOS HABITANTES DE JOHTO Y KANTO.
AGH
ARF
PLATA, ¿ESTÁS BIEN?
ARF
DASH
HACÍA MUCHO QUE ESPERÁBAMOS ESTA OPORTUNIDAD... ¡TIENE QUE SER HOY!
ARF
BUF
AGH
¡ANTES DE HUIR NOS QUITAREMOS LAS MÁSCARAS!
LO HAREMOS A LA VEZ.

FRAS
ARF
AGH
YA ESTÁN FUERA...
COMO HABÍA IMAGINADO, HOY SU PODER ES MÁS DÉBIL.
¡ASÍ QUE ESTA ERA TU CARA...!
¡DEBEMOS DARNOS PRISA!

EN NUESTRA INFANCIA FUIMOS RAPTADOS POR HO-OH.
LOS MÁS DESTACADOS DE NOSOTROS FORMAMOS PAREJAS DE CHICOS Y CHICAS ENTRENADOS PARA SERVIR AL HOMBRE ENMASCARADO. NOS LLAMABAN "LOS NIÑOS ENMASCARADOS".

¡PERO VERDE Y YO SIEMPRE ESTÁBAMOS BUSCANDO UNA OPORTUNIDAD PARA ESCAPAR DEL CENTRO DE ENTRENAMIENTO!
¡VAMOS A ASEGURARNOS, PLATA!
¡AHORA ESTAMOS AQUÍ!
HEMOS ESCAPADO DEL EDIFICIO EN EL QUE NOS TENÍAN ENCERRADOS...
...PERO EL RECINTO ESTÁ PROTEGIDO POR UNA BARRERA CREADA POR UN POKÉMON DE TIPO PSÍQUICO.
EL ÚNICO CAMINO PARA SALIR...
ÑEEEC
...ES ESTE.
¡UN PASAJE SUBTERRÁNEO!
CLAN
CLAN
CLAN
NO TENGO MÁS INFORMACIÓN.
LA RUTA SUBTERRÁNEA ERA DEMASIADO COMPLICADA, ASÍ QUE TENDREMOS QUE HACER LO QUE PODAMOS.

PERO
CREO QUE PASAREMOS POR SU HABITACIÓN, ¡ASÍ QUE DÉJAME IR DELANTE!
TOMP
¡ESTÁN ALLÍ! ¡COGEDLOS!
¡VAMOS!
¡QUÉ NO ESCAPEN!
¡POR AQUÍ!
!!
¡¡LOS TENEMOS!!
¡¡QUE NO NOS VEAN LA CARA!!
¡¡MEOWTH, ARAÑAZO!!
¡¡NATU, PSÍQUICO!!
¡¡HOUNDOUR, ASCUAS!!
¡EEVEE, MORDISCO!

¡¡UAAAAH!!
¡¡PLA-TAAA!!
BAM
CRAS
FUAAASH
FUAAH
¡UAAAH!
¡COF, COF!
¡TRANQUILOS! ¡HAN GIRADO POR AQUÍ!

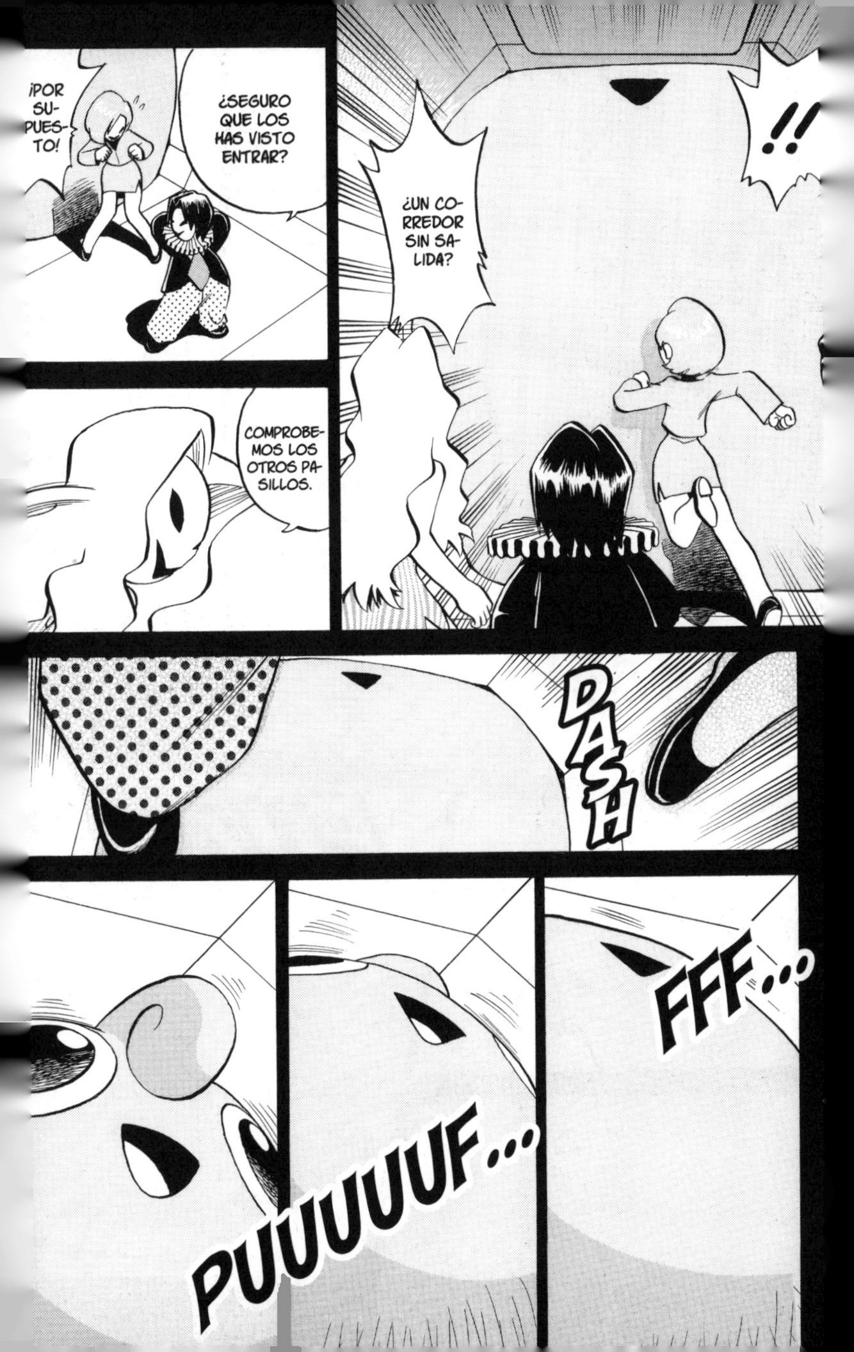
!!
¿UN CO-
RREDOR
SIN SA-
LIDA?
¿SEGURO
QUE LOS
HAS VISTO
ENTRAR?
¡POR
SU-
PUES-
TO!
COMPROBE-
MOS LOS
OTROS PA-
SILLOS.
DASH
FFF...
PUUUUUF...

DIRÍA QUE LES HEMOS DADO ESQUINAZO.
FUUUH...
CREO QUE LA SALIDA ESTÁ AQUÍ MISMO.
!!!
GLUP
MENUDO SUSTO, PERO TRANQUILO, SOLO ES UNA ESCULTURA.
TAMBIÉN APARECEMOS NOSOTROS.
ESTA ES SU HABITACIÓN.
¡¡VERDE!! ¡¡PUEDE QUE ESTÉ ESCONDIDO!! ¿Y SI ESTÁ AQUÍ AL LADO...?
SÍ... MUY CERCA.
DE HECHO ESTÁ DURMIENDO DETRÁS DE ESA CORTINA.
¡¿EEEEH?!

PERO NO TE PREOCUPES, HOY NO SE MOVERÁ.
UNA VEZ CADA CIERTOS MESES SE VUELVE MUY DÉBIL.
Y SEGÚN MIS CÁLCULOS,
¡ESE DÍA ES HOY!
VERDE TENÍA RAZÓN...
DESPUÉS SUPIMOS QUE SU AGOTAMIENTO SE DEBÍA A SUS INTENTOS DE CRUZAR LA DIMENSIÓN DEL TIEMPO.
CUANDO LAS FASES DE LA LUNA ESTABAN EN EL MOMENTO PRECISO, UN RAYO BAÑABA EL TEMPLO DEL ENCINAR.
ENTONCES NO SABÍA DE LA EXISTENCIA DE UNA POKÉ BALL CAPAZ DE CAPTURAR EL TIEMPO E INTENTABA ATRAPAR LA LUZ CON SUS PROPIAS FUERZAS, POR ESO QUEDABA GRAVEMENTE HERIDO.
NO VAMOS A IRNOS CON LAS MANOS VACÍAS...
HMMM...
JO, JO, JO...
¡TAMBIÉN NOS LLEVAMOS ESTO!
DASH

¡¡DAAASH!!

¡YA SE VE LA SALIDA!

¡¡VAMOS!!

FUM

¡¡EL MUNDO EXTERIOR!!

NO ME DIGAS QUE TE SIENTES SOLO...
DEBERÍAS HABERTE LIBRADO DE ESAS EMOCIONES HACE MUCHO TIEMPO...

Y COMENZAMOS UNA NUEVA VIDA EN EL MUNDO EXTERIOR.

VERDE Y YO QUERÍAMOS MIRAR HACIA DELANTE, PERO NUESTRO OSCURO PASADO NOS PERSEGUÍA...

HA SIDO FENOMENAL, JIGGLYPUFF. ♬
AUNQUE LES HABÍA PUESTO APODOS A LOS DEMÁS POKÉMON, NUNCA LO HABÍA HECHO CON EL QUE MEJOR SE LLEVABA.

¡¡LOS POKÉMON NO NECESITAN APODOS!!
AQUEL RECUERDO TRAUMÁTICO DEBIÓ DE AFECTARLA.

PERO EN ALGÚN MOMENTO SE PRODUJO UN CAMBIO EN VERDE.
NO SUPE LA RAZÓN HASTA QUE ME LO CONTARON LOS OTROS PROPIETARIOS DE LA POKÉDEX.
JIGGLYPUFF N.53
PTOS. EXP. 119101
6970 PARA N.54
Nº 039
CANTO: PP 15/15
DOBLE FILO: PP
DOBLE BOFETÓN: PP 10/10
RIZO DEFENSA: PP 40/40

ACTUALMENTE
HA LLEGADO EL GRAN DÍA, VERDE...

SÍ, ESTOY UN POCO NERVIOSA.
POR FIN VOY A REENCONTRARME CON PAPÁ Y MAMÁ...

¿ENTONCES TUS PADRES TE HAN ESTADO BUSCANDO POR TODAS LAS REGIONES?
SÍ, Y POR FIN NOS HEMOS ENCONTRADO...

...
LO SIENTO, PLATA...
NO PASA NADA, VERDE.

NO SÉ DÓNDE NI CUÁNDO NACÍ. SIEMPRE TE HAS OCUPADO DE MÍ.
PERO YA ES HORA DE QUE TE PREOCUPES DE TI MISMA...
PLATA...

¿HAS RECIBIDO EL SOMBRERO Y EL CONJUNTO? LOS ELEGÍ PENSANDO EN ESTE DÍA.

¡SÍ! ¡ME ENCAN-TAN!
¡GRA-CIAS, PLATA!
BUE-NO...
VAMOS ALLÁ.
¿PERO ME QUEDARÁN BIEN?
SON TAN ELEGANTES...

AÚN NO LO SABÍAMOS...
TE QUEDARÁN DE MARA-VILLA.
PERO...

...ERA EL COMIENZO DE UN NUEVO DESAFÍO PARA VERDE Y LA PRIMERA GENERACIÓN DE PROPIETARIOS DE LA POKÉDEX...

VAMOS, SNEASEL, NOSOTROS TAMBIÉN...

...TENEMOS COSAS QUE HACER...

PLAT

FLAP
FLAP
FLAP
FLAP
FLAP

HA TRANSCURRIDO APROXIMADAMENTE MEDIO AÑO...
...DESDE EL ENFRENTAMIENTO ENTRE KYOGRE Y GROUDON.

CAPÍTULO 179

PUEBLO PALETA, REGIÓN DE KANTO.

¡JO! ¡HA VUELTO A REBOTAR!
¡MUY BIEN! ¡MI TURNO!
¿ESTÁS SEGURO DE QUE PUEDES CON ÉL?
ÑEC
¡NO INTENTES NADA RARO!

¡VOY A CAPTURAR A ESTE NIDORINO Y LO ENTRENARÉ YO!
¡KAH!
¿EH?
POING
¡NARGH...! ¡HE FALLADO!
JA, JA... MIRA QUE LANZAR LA POKÉ BALL ASÍ, SIN MÁS...
¡PRIMERO HAY QUE COMBATIRLO!
¡EH! ¡¿QUÉ TIENES AHÍ?! ¡ESE GENGAR PARECE FUERTE!
PRUEBA A COMBATIR CON ÉL. VENGA, VAMOS...
¿EEEH? ¡YO... VOY!

POM
EEEH...
OSOTROS
SERÉIS...
¡VENGA, HOMBRE!
BAUM
BAUM
¡OH! ¡BUEN COMBATE!

PUEBLO PALETA NO HA CAMBIADO.
HACÍA MUCHO QUE NO VENÍA...
¿HAS VISTO A ESOS NIÑOS? NOSOTROS TAMBIÉN ÉRAMOS ASÍ ANTES DE RECIBIR LA POKÉDEX.
JU, JU... PUES SÍ.

SUPONGO QUE EL PROFESOR DEBE DE HABER VUELTO YA DE SU VIAJE POR HOENN.
ROJO
ENTRENADOR Y POSEEDOR DE UNA POKÉDEX. GANÓ LA LIGA POKÉMON DE MESETA AÑIL.
BUENO, NO NOS ENTRETENGAMOS, TENEMOS ASUNTOS PENDIENTES.
AZUL
NIETO DEL PROFESOR OAK, AUTORIDAD EN POKÉMON, Y ENTRENADOR QUE TIENE UNA POKÉDEX.

HEMOS HECHO ESPERAR AL PROFESOR...
ES QUE NO HAS DEJADO DE ENTRETENERTE POR EL CAMINO...
PROFESOR OAK
LABORATORIO
POKÉMON
JO, JA, JA...

CHAC
¡CUÁNTO TIEMPO, PROFESOR OAK!
¡¿PROFESOR?!
¡QUÉ RARO! PARECE QUE NO ESTÁ.
¡¿HM?!

Para Verde
Para Rojo
Para Azul

¿QUÉ ES ESTO, AZUL? TAMBIÉN HAY UNA PARA TI.
HMMM... ES...

...UN SOBRE DE LA ASOCIACIÓN DE EMBARCACIONES DE CIUDAD CARMÍN.
Para Azul
Asociación de embarcaciones de Ciudad Carmín
¿CARMÍN? ¿LA CIUDAD DEL PUERTO?
¿QUÉ TENDRÁ QUE VER EL PROFESOR CON CARMÍN?
BUENO, VAMOS A ABRIRLO...
RIS
TOMP TOMP TOMP

DASH
¿QUÉ OCURRE?
CRAASH
FUUUM
ZAAAM
¡¡SAUR!!
BAUM
FUAAASH
¡¡CHARIZARD!!
¡¿QUÉ PASA?! ¡¿CON QUIÉN COMBA-TEN?!
¡SE MUEVE DE-MASIADO RÁPIDO! ¡¡NO PUEDO VERLO!!

FWOOSH
¡¡CHARIZARD, LANZALLAMAS!!
BUUUUM
FUAAASH
¡¡SAUR, RAYO SOLAR!!
FWOOOSH
AH
AGH
ARF
ROJO, ¿QUÉ VAS A...?
FAH
ZIP
HASTA QUE NO ENCONTREMOS AL PROFESOR NO SABREMOS QUÉ ESTÁ PASANDO AQUÍ.
NOS LLAMÓ PARA QUE VINIÉRAMOS, Y SI NO ESTÁ AQUÍ SIGNIFICA QUE TIENE QUE HABER PASADO ALGO.
¡VOY A SALIR EN SU BÚSQUEDA!

ENTENDIDO...
¡VOY CONTIGO!
PERO ANTES DEBERÍAMOS ESCUCHAR ESTO.
EL APARATO QUE VENÍA EN EL SOBRE. ¿QUÉ ES?

¡UN MEMORÍN!
¿EL PROFESOR NOS HABRÁ DEJADO UN MENSAJE?
SEGURAMENTE.
PIP

PROPIETARIOS DE LAS POKÉDEX, ESTO ES IMPORTANTE...
¡¡¡DEBÉIS ENTREGAR VUESTRAS POKÉDEX!!!

CAPÍTULO 180

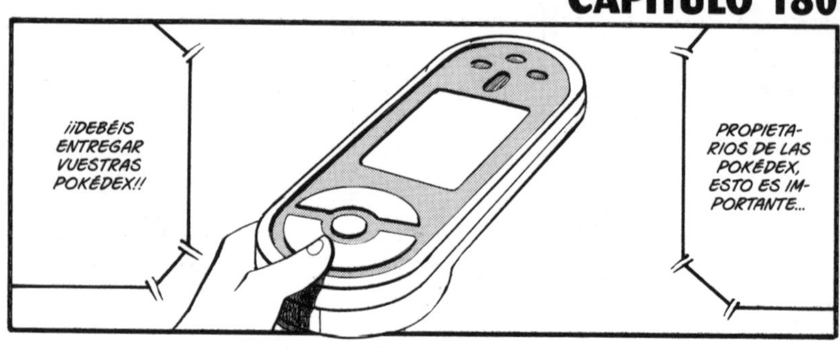
PROPIETARIOS DE LAS POKÉDEX, ESTO ES IMPORTANTE...
¡¡DEBÉIS ENTREGAR VUESTRAS POKÉDEX!!

EL ORDENADOR ENCIMA DE LA MESA ESTÁ CONECTADO AL SISTEMA DE ALMACENAMIENTO DE OBJETOS.
¡DEJAD AHÍ VUESTRAS POKÉDEX!

HEMOS ESCUCHADO UNA Y OTRA VEZ EL MEMORÍN,
Y SIGO SIN ENTENDERLO. NO DICE NADA MÁS...
...
A... ¡AZUL!

FAH
CLAC
RRRRR
CHAC CHAC
...

SHUIIIIII

SHUUUUU

¡NUESTRAS POKÉDEX!
¡HAN DESAPARECIDO!

NO TENGO NI IDEA DE POR QUÉ NOS LAS HA PEDIDO,
PERO...

TRATÁNDOSE DEL PROFESOR OAK NO DEBEMOS DUDAR.
¡¡OPINO LO MISMO QUE TÚ!!

POM
¡¡AERO!!

¡¡VAMOS, AZUL!! ¡¡MARCHANDO A CIUDAD CARMÍN!!
¡¡ADELANTE!!

AH, ESPERA...
¡¡SAUR!!
CHASC

Para Verde
FIU
TCHAC
ZUM
CIUDAD CARMÍN.
¿UH?

ES MUY PRONTO PARA PONERSE A ESPERAR, ¿NO?
FALTA MUCHO PARA QUE ZARPE.
¿SE PUEDE SABER QUÉ HACES AQUÍ DESDE TAN TEMPRANO?
HOY ME REENCUENTRO CON MIS PADRES.
HEMOS ESTADO SEPARADOS MUCHO TIEMPO...
AH, DEBES DE ESTAR ANSIOSA POR VERLOS.
¡MUY BIEN! EN ESE CASO...
¡...TE PERMITO EMBARCAR ANTES DE TIEMPO!
SI ESPERAS EN EL BARCO NO SE TE HARÁ TAN LARGO.
¿DE VERDAD?
¡QUÉ MONA!

¿TIENES TU TRI-TICKET?
TRI-TICKET
¡SÍ!

¿EEEH? ¡NO ME DIGAS QUE AÚN NO HAN BAJADO LAS ESCALERAS DE EMBARQUE!
¡AH, NO PASA NADA!
¡BLASTY!
ZUM
!!!

¡¡VAMOS!!
ZIUUU
FUAAAASH
¡¡UAAAH!!

FUUUUASH
TAH
¡¡GRACIAS, SEÑOR MARINERO!!
¡¡VAMOS A EXPLORAR EL BARCO!!
¡¡AAAH!!
VERDE
ENTRENADORA POKÉMON. LOGRÓ EL TERCER PUESTO EN LA LIGA POKÉMON.

¡¡YO HE VISTO A ESTA CHICA EN ALGÚN SITIO!!
¡¡¿NO RECIBIÓ LA POKÉDEX DEL MISMÍSIMO PROFESOR OAK?!!
¡¡Y FUE FINALISTA DE LA LIGA POKÉMON!!

OH...

POM POM
CHICOS, ¡ECHAD UN VISTAZO!
¡ESTE BARCO ES MAGNÍFICO!
¡VAMOS!
FLOP FLOP
DITTY, ¿QUÉ OCURRE?
PLOP
BLUB BLUB

¡¡ESTO ME HUELE MAL!!
ZAP

ZUUA-AASH
FUM FUM
FUM
¡¡KYAAAH!!
¡¡CHI-
COS!!
¡¡DIT-
TY!!

BUENO,
YA HEMOS
LLEGADO
AL PUER-
TO DE
CARMÍN.

ES LA
PRIMERA
VEZ QUE
LOS
VEO.
EL PRO-
FESOR
HABÍA
METIDO
ESTO
EN EL
SOBRE.
¿PARA
QUÉ SERÁN
ESTOS
TRI-
TICKETS?

¡¡ALLÁ VAMOS!!
FAH
¡¡UAH!!
TOMP
CASI ME DA UN VUELCO AL CORAZÓN...
¿EH?

¡¡¡PERO SI TENÉIS TRI-TICKETS!!!
TRI-TICKET
RI-TICKET
¡¿ASÍ QUE SOIS PASAJEROS DEL SURCAMAR?!

¡¡PUES VENGA, ARRIBA!!

¡¡EL BARCO ESTÁ A PUNTO DE ZARPAR!!

BUF... A TIEMPO.

BOM

¡DESDE LUEGO...! UNOS PASAJEROS LLEGAN MUY PRONTO, ¡PERO OTROS EN EL ÚLTIMO SEGUNDO!

¡ESPERA...!

BRMMM
HOY ES EL DÍA DE ENCONTRARSE CON FAMOSOS.
BRRRRRRR

¡PERO SI SOIS
LOS CHICOS A LOS QUE EL PROFESOR OAK ENTREGÓ LA POKÉDEX!
EEEH... PUES SÍ, EJEM...

¡¡SEÑORAS Y SEÑORES PASAJEROS, BIENVENIDOS AL SURCAMAR!!
BRRRRRM
¡¡ESTAMOS DEJANDO ATRÁS CIUDAD CARMÍN!!

NUESTRO PRIMER DESTINO SERÁ LA PRIMERA ISLA DE ARCHI7...
ISLA PRIMA
¡¡ISLA PRIMA!!

PAF
BAM
BAM
TOMP
BOM
BAM
PAF

BRRRRRR

¡¡UGH!!
ZAS

¡PRIMERO DEBO AVERIGUAR LA IDENTIDAD DE MI ADVERSARIO!
BAUM
BAM
PAF
POM
¡¡AH!!

¡¡SE ME OLVIDABA!! ¡¡AHORA YA NO TENGO LA POKÉDEX!!

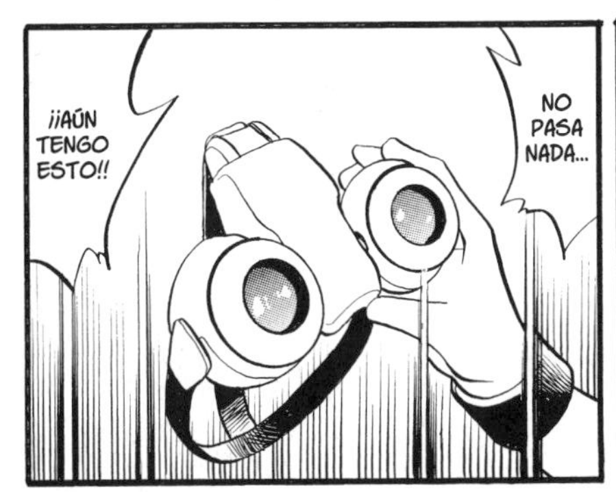
NO PASA NADA...
¡¡AÚN TENGO ESTO!!

PARA DETECTAR ENEMIGOS OCULTOS NADA COMO...
¡¡EL SCOPE SILPH!!
CLIC

FUM
ZAM
BAUM
BOM
¡LO HE MODIFICADO PARA QUE FUNCIONE CON TODOS LOS TIPOS DE POKÉMON!
¡BIEN!
¡¡MUÉSTRATE!!

BZZFZZZ
CHAC
PLAS
¡AH...!
¡¿QUE...?!

GGGU... GGG...
ÑUUC
ÑUUC
¡¡M... MI VOZ...!! ¡¡NO PUE-DO... PEDIR AYUDA!!
ALGO INVISIBLE ME ESTÁ ESTRANGU-LANDO...
!
WOOASH
ZUM
ZUM
ZUM
CRAS
FUUUM
¡¡EL SCOPE SILPH!!
¡¡¡SE LO HA TRAGADO ESE AGU-JERO!!!

ASÍ QUE ESTOS TRI-TICKETS QUE NOS HABÍA DEJADO EL PROFESOR...

...ERAN PARA EL BARCO...

TRI-TICKET

¿PERO QUÉ HACEMOS AQUÍ?
VAMOS HACIA ISLA PRIMA... ¿QUÉ CLASE DE LUGAR SERÁ?
NI IDEA.

CLAC CLAC
POM
¡¡EH, PIKA!! ¡¿ADÓNDE VAS?!
QUC QUC
¿EH?

OH... ¡OH...! ¡PERO SI CONOZCO A ESTE PIKACHU!
NO ME DIGAS...
¡¡UAAARGH!!
FZZZZZZ
¡AJÁAA! RECONOCERÍA ESTA DESCARGA EN CUALQUIER LUGAR.
¡PIKA!
Y SI ESTÁS AQUÍ...
¡ROJO! ¡AZUL!
¡¡BILL!!
¡CUÁNTO TIEMPO!
¿QUÉ TAL ESTÁIS?
¿NO SE SUPONE
QUE HOY PASABAS EL DÍA CON MI HERMANA?
EJEM... PUEEES...
DALIA SE HA TENIDO QUE QUEDAR EN CASA.

¡VAYA SORPRESA ENCONTRAROS A BORDO DEL *SURCAMAR!*
¿VAIS DE TURISMO A ISLA PRIMA?
¡¿EH?! ¡QUÉ VA...!
¡ES UN LUGAR ESTUPENDO! SI YO NO TUVIERA TRABAJO QUE HACER...
¿VIENES POR TRABAJO?
SÍ, VOY A AYUDAR A CELIO, UN COLEGA INVESTIGADOR QUE ESTÁ REPARANDO EL SISTEMA DE TRANSFERENCIA.

EL SISTEMA DE TRANSFERENCIA Y ALMACENAMIENTO LO INVENTAMOS CON ÉL Y OTRAS DOS INVESTIGADORAS...
NEREIDA.
AREDIA.
CELIO.
AHORA ESTAMOS DISPERSOS POR DISTINTAS REGIONES,
Y CELIO ES EL RESPONSABLE DEL SISTEMA EN ARCHI7.
A... ¿ARCHI7?
¿NO CONOCÉIS ARCHI7?
ISLA PRIMA FORMA PARTE DE UN ARCHIPIÉLAGO DE SIETE ISLAS.
UN MOMENTO...
OH, PERO SI ES ÉL...
¡HOLA CELIO!
LLEGO ENSEGUIDA, ¿QUÉ TAL POR ALLÍ?

SIGO SIN PODER CONECTAR CON EL SISTEMA DE ALMACENAMIENTO,
PERO LA COSA HA EMPEORADO.
YA NO SOLO AFECTA A LA REGIÓN DE KANTO,
TAMBIÉN HA CAÍDO EL SISTEMA AQUÍ, EN ARCHI7.
HMMM... ME PREGUNTO CUÁL SERÁ LA CAUSA.
ESTÁ BIEN, LO VERÉ AL LLEGAR, ESPÉRAME EN EL CENTRO DE RED POKÉMON.

BUF... ME ESPERA UN NUEVO PROBLEMÓN...
DING DONG
DING DONG

SEÑORAS Y SEÑORES PASAJEROS, GRACIAS POR VIAJAR CON NOSOTROS.

EN BREVES MOMENTOS LLEGAREMOS A ISLA PRIMA.

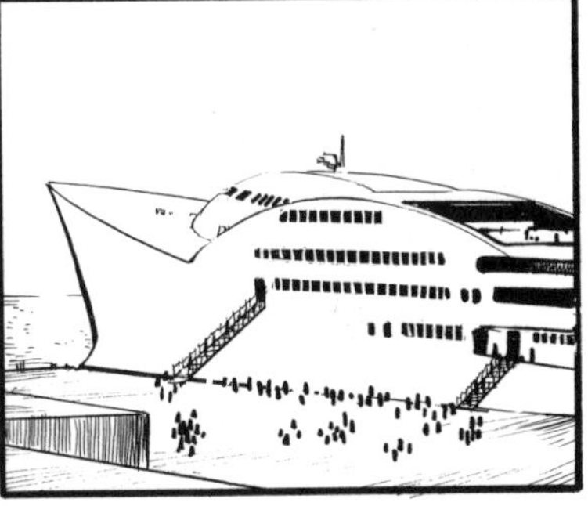

ÑEEEC
ÑEEEC
GGG...

PARECE QUE HEMOS LLEGADO A LA ISLA...
¡DEBO IMPEDIR... QUE EL ADVERSARIO INVISIBLE... DESEMBAR-QUE!

ARF
TENGO QUE... AVI-SAR A... AGH... AL-GUIEN.
AGH
AGH
PAF

¡¡PAPÁ!! ¡¡MAMÁ!!

¡ACABAN DE RECONO- CERME...!

?!

¡¡VIENEN HACIA AQUÍ!!

¡OYE! ¡¿ESA NO ES VER- DE?!
¿EH?

¡¡¡EL AGUJE- RO!!!
ZUM
WOAAASH
¡¡ANTES SE HA TRAGADO EL SCOPE SILPH!!

¡¡VAMOS!!
¡¡PARECE QUE LE PASA ALGO!!
DASH

¡¡PAPA, MAMÁ! ¡¡NO!!
¡¡¡NO OS ACER-QUÉIS!!!
SSSSSH
FUOOOOO
SH

FUOOOSH
SSSH
POM
FSSSH
¿POR QUÉ...?
¡¡¡PAPÁ, MAMÁ!!!
¡¡¿¿POR QUÉÉÉÉÉÉ??!!

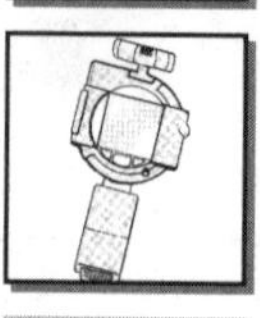

ROJO

- LUGAR DE NACIMIENTO: PUEBLO PALETA
- CUMPLEAÑOS: 8 DE AGOSTO
- GRUPO SANGUÍNEO: O
- EDAD: 16 AÑOS (EN ESTA SAGA)
- PREMIOS: GANADOR DE LA NOVENA EDICIÓN DE LA LIGA POKÉMON DE KANTO Y JOHTO

UN ENTRENADOR APASIONADO Y VITAL QUE EMPEZÓ SU VIAJE POR KANTO AL RECIBIR SU POKÉDEX DE MANOS DEL PROFESOR OAK. POR EL CAMINO DESCUBRIÓ NUEVOS POKÉMON, HIZO ALIADOS Y VENCIÓ AL TEAM ROCKET. SU APRENDIZAJE LO LLEVÓ A GANAR LA NOVENA EDICIÓN DE LA LIGA POKÉMON.

DESPUÉS VENCIÓ AL ALTO MANDO Y, COMO PROPIETARIO DE LA POKÉDEX DE LA PRIMERA GENERACIÓN, JUGÓ UNA PARTE FUNDAMENTAL EN LA RESOLUCIÓN DE LA BATALLA CONTRA EL HOMBRE ENMASCARADO EN JOHTO.

ACTUALMENTE VIAJA A ARCHI7 ACOMPAÑADO POR AZUL, AUNQUE ALBERGA UN OSCURO PRESENTIMIENTO...

CAPÍTULO 181

PO... ¿POR QUÉ...?
PAPÁ... MAMÁ...
UOH...
BLOF...
PO... ¿POR QUÉ...?
¡¡VERDE!!
¡¡OH, NO!!
DASH
¡¡POLI, VAMOS!!
POM

CHAC
BAM
¡¡BIEN HECHO, POLI!!
EL ENEMIGO...
...PUEDE ESTAR CERCA AÚN.
¡¡SCIZOR!!
POM

ZAM
ZUM
¡¡LOCA-
LIZA AL
ADVER-
SARIO
INVISI-
BLE...
BAM
!!
CHAC
...Y USA
TUS
PINZAS
CON-
TRA
ÉL!!

FSSSSH

¡¡AZUL, DEBEMOS LLEVARLA AL HOSPITAL!!
HA ESCAPADO...

MAÑANA ES EL DÍA DE MI REENCUENTRO CON PAPÁ Y MAMÁ.
...
CLAN CLAN CLAN CLAN

HORAS DESPUÉS...
CENTRO DE RED POKÉMON
GRACIAS, CELIO.
NO CONOCEMOS LA ISLA Y NO SABÍAMOS ADÓNDE LLEVARLA... MENOS MAL QUE NOS HAS AYUDADO.
PARA ESO ESTAMOS, BILL. POR SUERTE CONTAMOS CON UNA UNIDAD DE EMERGENCIA EN EL CENTRO...

AQUÍ ESTÁN SUS POKÉMON...
BLASTOISE Y LOS DEMÁS ESTÁN RECIBIENDO TRATAMIENTO MÉDICO.
AUNQUE...
LA ENTRENADORA HA SUFRIDO UNA FUERTE CONMOCIÓN. ME TEMO QUE
NECESITARÁ UN TIEMPO PARA RECUPERARSE.

TENGO QUE DEJAROS...
GRACIAS, CELIO.
BILL, ANTES NOS HAS DICHO
QUE VERDE VINO A LA ISLA PARA ENCONTRARSE CON SUS PADRES.
SÍ.
SÉ QUE NO ESTÁ BIEN, PERO MIRÉ SU DIARIO.

MAÑANA ES EL DÍA DE MI REEN-
CUENTRO CON PAPÁ Y MAMÁ.

¡¡EL HOMBRE Y LA MUJER A LOS QUE SE HA TRAGADO ESE AGUJERO...
...ERAN LOS PADRES DE VERDE!!
FUOSH

LO ES, PERO NO CONSEGUIREMOS NADA QUEDÁNDONOS AQUÍ.
FLAP
LO QUE DEBEMOS HACER ES AVERIGUAR QUÉ HA OCURRIDO Y QUÉ HAY DETRÁS DE TODO ESTO.

HMMM...

FLAP

PARECE QUE AYER VERDE ESTUVO EN PUEBLO PALETA.

¡¿¿EH?!

Y TAMBIÉN ENTREGÓ SU POKÉDEX AL PROFESOR OAK.
ESO ES LO QUE PONE.
!!

"¡¡TRAS ENTREGAR LA POKÉDEX FUI ATACADA POR UN ENEMIGO DE NATURALEZA DESCONOCIDA!!"
ZUASH
FUM FUM
FUM
CRASH FUUUM
¡KIAH!
¡¡LO MISMO QUE NOS OCURRIÓ A NOSOTROS!!

GRR
ES DEMASIADA COINCIDENCIA.
HA SIDO BUENA IDEA QUE HUSMEARAS EN SU DIARIO.

PERO...
HE ENCONTRADO ALGO MÁS QUE PUEDE SERNOS ÚTIL.

¡¡EL SCOPE SILPH DE VERDE...!!

ESTÁ ROTO, PERO LA FUNCIÓN DE REPRODUCCIÓN AÚN FUNCIONA.
PUEDE QUE CONSERVE IMÁGENES DEL ENEMIGO...

BZZZ
¡AHÍ ESTÁ!

!!!

PE... ¡¡¡¿PERO QUÉ ES ESA COSA?!!!
¡¡NO ENTIENDO NADA!!
¡JAMÁS HE VISTO NADA IGUAL! ¡NO RECONOZCO SUS PODERES NI SÉ POR QUÉ ATACA!
¡¡¿POR QUÉ?!!
¡¡¡¿POR QUÉ ATACÓ A VERDE?!!!
SÍ. HAY MUCHAS COSAS QUE NO SABEMOS...
¡PERO DE UNA COSA ESTOY SEGURO!

¡¡AZUL Y YO VAMOS A COMBATIRLO!!
NO IMPORTA
LO QUE NOS CUESTE. ¡¡SEGUIREMOS ADELANTE
HASTA DERROTARLO!!

¡¡ESPERA, ROJO!!
¡¿SEGURO QUE PODÉIS CON ÉL?!
NO.
NOS ATACÓ EN PUEBLO PALETA Y SU PODER Y VELOCIDAD SON DEMASIADO PARA NOSOTROS.

E... ENTONCES, ¿QUÉ PENSÁIS HACER?
NO NOS QUEDA MÁS REMEDIO QUE MEJORAR NUESTRAS HABILIDADES.

¿¿EEEH??
CO... ¡¿CÓMO?!

¡EN CINCO AÑOS NO HABÉIS ENCONTRADO NI UN SOLO ADVERSARIO CAPAZ DE HACEROS FRENTE!
¡¡¿Y VAIS A DEDICAROS A MEJORAR VUESTRO NIVEL?!! ¡¡ES RIDÍCULO!!
¡¡¿CREÉIS QUE ES MOMENTO DE PERDER EL TIEMPO?!!

NO HAY MÁS REMEDIO...

AZUL Y YO SABEMOS LO MUCHO QUE VERDE HABÍA ESPERADO QUE LLEGARA...
...EL DÍA EN QUE PODRÍA REUNIRSE CON SUS PADRES.

¡¡HEMOS VISTO CÓMO DESTROZABAN A NUESTRA AMIGA Y NO PENSAMOS QUEDARNOS DE BRAZOS CRUZADOS!!

...

PERO APENAS TENEMOS TIEMPO,
¿CÓMO PODRÍAMOS MEJORAR NUESTRO NIVEL RÁPIDAMENTE?
HMMM...

HAY UNA MANERA.
DICEN QUE ISLA PRIMA ES EL "PUNTO DE ENCUENTRO PARA TODOS".
Y ASÍ ES. HA SIDO EL MISTERIOSO DESTINO EL QUE NOS HA REUNIDO.
CLAN CLAN CLAN
¡HE SENTIDO UN ESCALOFRÍO NADA MÁS VEROS PONER EL PIE EN EL PUERTO!
CREC CREC
SI DE VERDAD SOIS LOS ELEGIDOS...
¡¡HEREDARÉIS...
...MIS MOVIMIENTOS DEFINITIVOS!!
ZAAAM

PIKA/Pikachu ♂

Eléctrico

- **NV.88** (AL LLEGAR AL CAPÍTULO 179)
- **HABILIDAD: ELECTRICIDAD ESTÁTICA**
- **NATURALEZA: GROSERA**

ROJO SE LO ENCONTRÓ EN CIUDAD PLATEADA Y DESDE ENTONCES HA SIDO UN MIEMBRO DESTACADO DEL EQUIPO. CUANDO ROJO DESAPARECIÓ ACOMPAÑÓ DURANTE UN TIEMPO A AMARILLO.

POLI/Poliwrath ♂

Agua
Lucha

- **NV.80** (AL LLEGAR AL CAPÍTULO 179)
- **HABILIDAD: HUMEDAD**
- **NATURALEZA: AUDAZ**

ES EL PRIMER POKÉMON QUE CONSIGUIÓ ROJO CUANDO ERA UN NIÑO. TIENE EL HISTORIAL DE COMBATES MÁS LARGO Y ES UN MIEMBRO INSUSTITUIBLE DEL EQUIPO.

SAUR/Venusaur ♂

Hierba
Veneno

- **NV.82** (AL LLEGAR AL CAPÍTULO 179)
- **HABILIDAD: ESPESURA**
- **NATURALEZA: AMABLE**

SE LO ENTREGÓ EL PROFESOR OAK EL DÍA EN QUE LE ASIGNÓ LA POKÉDEX. DESPUÉS DE NUMEROSAS AVENTURAS HA EVOLUCIONADO HASTA ALCANZAR SU ÚLTIMA FORMA.

CAPÍTULO 182

¡HE SENTIDO UN ESCALOFRÍO! ¡¡SI DE VERDAD SOIS LOS ELEGIDOS...
...HEREDARÉIS MIS MOVIMIENTOS DEFINITIVOS!!
...
LO SENTIMOS, ABUELA, A NOSOTROS TAMBIÉN NOS GUSTA EL HUMOR, PERO...
¡¡GRAAAAAR!!
¡¡¡NI UN PASO MÁS!!!
FU A A A A SH

ZIUUU
¡¡CHARIZARD!!
POM
¡¡SAUR!!
POM
FIU
FIU
FIU
SHAAAM

CHAC
CHAC

¿EH...?
¡¡TÚ LO HAS QUE-RIDO!!

BAM
BIEN...
CHAC
NO TENÍA MÁS REMEDIO, ESTABAIS IG-NORANDO A ESTA POBRE ANCIANA.
SOLO QUERÍA RETENE-ROS.

POM
SI DE VERDAD SOIS ENTRE-NADORES POKÉMON...
¡¡...ENSEÑAD-ME LO QUE SABÉIS HACER!!

SHUUU
FWOOSH
¡¡AQUÍ LA ABRASADORA FUERZA DE LAS LLAMAS DEL INFIER-NO!!
¡¡Y EL MAGNÍFICO PODER DE ESPESURA!!
FRAAASH
BAUUUUM

BUENO, TENEMOS QUE ZARPAR HACIA LA PRÓXIMA CIUDAD...
!!

¡¡¿¿EEEEEH?!!
¡¡¿¿EEEEEH?!!
¡¡AH!!!
UPS...

PERO, ÚLTIMA, ¡¡¿YA LO HAS VUELTO A HACEEER?!!
HUUUY... ¡LO SIENTO! ME HE DEJADO LLEVAR POR EL ENTU-SIASMO.

¡¡ME DIJISTE QUE IBAS A HACER TURISMO AL CAMINO CANDENTE Y AL MONTE ASCUAS!!
¡¡SI VAS A SEGUIR CAUSANDO DESTROZOS TE DEVOL-VERÉ A ISLA SECUNDA!!

¡¡¿HAS EN-TENDIDO, ÚLTIMA?!!
ENTENDIDO, ENTENDIDO... TE PARECERÁ BONITO ABUSAR DE UNA POBRE ANCIANA.
!!
¿BILL?

ÚLTIMA, ÚLTIMA...
¿LA CO-NOCES, BILL?

NO, PERO HE OÍDO ESE NOMBRE DESDE QUE ERA UN CRÍO.
LA LEYENDA DICE QUE EN UNA ISLA LEJANA VIVE LA GUARDIANA DE LOS MOVIMIENTOS DEFINITIVOS.
UNA ANCIANA CUYO NOMBRE ES...
¡ÚLTIMA!

OOOH... QUÉ HISTORIA TAN BONITA.
PUES RESULTA QUE SOY YO.

¡GUARDIANA DE LOS MOVIMIENTOS DEFINITIVOS...!
LO QUE TÚ DIGAS... ¡¿Y ESTO A QUÉ VIENE?!
CLANC

¡ESTAR ESPOSADO A ROJO ME TRAERÁ LA PEOR SUERTE DEL MUNDO!

¡¡SUÉLTAME YA!!

HMPH

¡BLOP!
!!
¡YA ESTÁ BIEN, ROJO! ¡VÁMONOS!!

GGG
PARA VUESTRA INFORMACIÓN, MIENTRAS TENGÁIS PUESTOS LOS BRAZALETES
NO PODRÉIS SEPARAROS DE MÍ MÁS DE CUATRO PASOS.

NOTA: UN PASO EQUIVALE APROXIMADAMENTE A 1,4 METROS.

¡¡¡BASTA!!!
!!
ZUM
ROJO...
ÚLTIMA...
TU DEMOSTRACIÓN HA SIDO REALMENTE IMPRESIONANTE.
ME CUESTA CREER QUE SEAS LA GUARDIANA DE LOS LEGENDARIOS MOVIMIENTOS DEFINITIVOS,
PERO VOY A CONFIAR EN TI.

¡¡NECESITAMOS VOLVERNOS MÁS FUERTES!!
SSSH
POM
¡¡¡NECESITAMOS MUCHO MÁS PODER...!!!
SI ERES LA VERDADERA GUARDIANA...
¿...NOS ENSEÑARÁS EL SECRETO DE LOS MOVIMIENTOS DEFINITIVOS?
POR SUPUESTO.

BRRRRRR

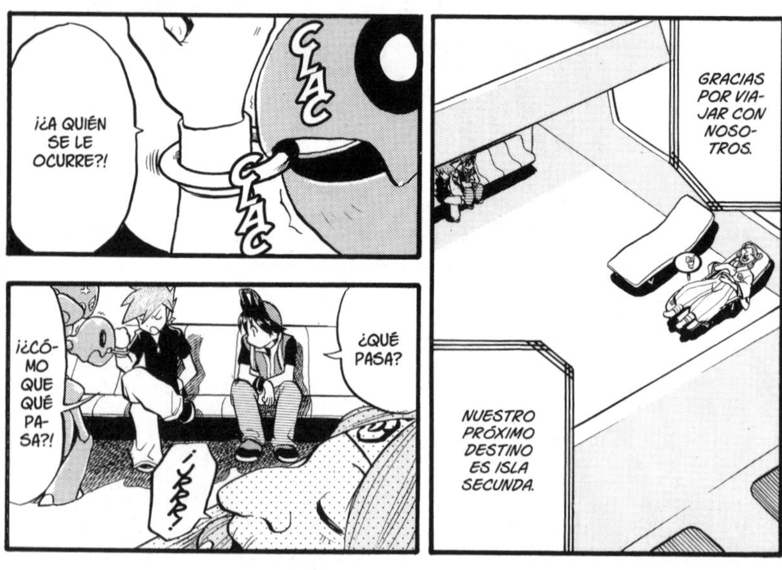
GRACIAS POR VIAJAR CON NOSOTROS.
NUESTRO PRÓXIMO DESTINO ES ISLA SECUNDA.
CLAC
CLAC
¡¿A QUIÉN SE LE OCURRE?!
¿QUÉ PASA?
¡¿CÓMO QUE QUÉ PASA?!
¡¡GRRR!!

¿DE VERDAD TIENES INTENCIÓN DE ENTRENARTE CON LA MOMIA?
SÍ, LO HE DICHO EN SERIO.
¿ES QUE NO HAS VISTO EL PODER QUE TIENE LA ABUELA?

¡¡ES MUCHO MÁS FUERTE QUE NOSOTROS!!
¡NOS ENSEÑARÁ LOS MOVIMIENTOS DEFINITIVOS!
¡ES NUESTRA OPORTUNIDAD PARA MEJORAR! ¿TE PARECE MAL?

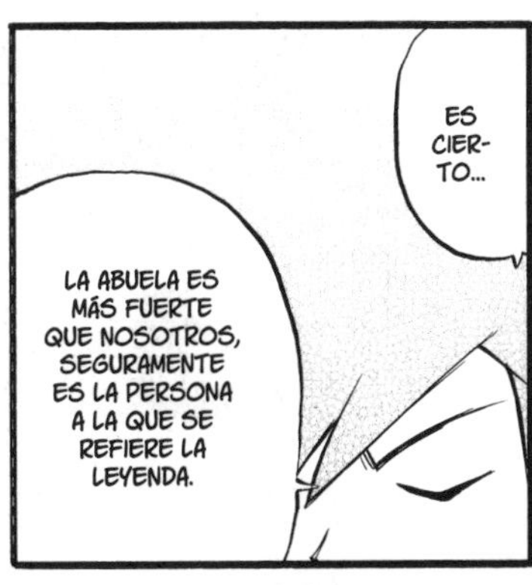
ES CIERTO...
LA ABUELA ES MÁS FUERTE QUE NOSOTROS, SEGURAMENTE ES LA PERSONA A LA QUE SE REFIERE LA LEYENDA.

PERO
POR ESO MISMO...

...NO DEBERÍAMOS FIARNOS DEL TODO.
¡¿EH?!

NO CONOCEMOS A NUESTRO ENEMIGO.
¿Y SI FUERA LA ALIADA DE NUESTRO ADVERSARIO? ¿O EL CEREBRO DETRÁS DE LOS ATAQUES?

DE UN ADVERSARIO ASÍ...
CLAN
¡NO PODRÍAMOS HUIR!

¡¿CEREBRO?! ¡¿DE VERDAD LO CREES, AZUL?!
NO LO SÉ, PERO ES POSIBLE.

GRACIAS POR VIAJAR CON NOSO-TROS.

ACABAMOS DE LLEGAR A ISLA SECUNDA.
OAAAAH

¡¡¡VENGA, MARCHANDO, ZAGALES!!!

NYU

BLORB

NOTA: UNA LEGUA EQUIVALE A 6 KILÓMETROS Y MEDIO.

¡VENGA, NO PERDÁIS TIEMPO!
Camino
ÑIEEEEC

BLAM

EN-TONCES, ¿AQUÍ ES DONDE NOS VAS A ENSE-ÑAR LOS MOVIMIEN-TOS?

PUM
¡IDIOTA! ¡¿TE CREES QUE ESTO ES UN INTER-CAMBIO DE CROMOS?!!

¡LA BASE DE TODO PODER ES LA FOR-TALEZA! ¡¡DEBÉIS EJERCITAR LAS PIER-NAS Y LAS CADE-RAS!!
¡¡VENGA, SACAD A ESE VE-NUSAUR Y A ESE CHARI-ZARD!!

UTILIZA-REMOS LA CEPA DE VENUSAUR...
CHUC
CHUC
¡¡CHA-RIZARD, SOSTÉN ESTO!!

¡¡AVANZAREIS TODO EL CAMINO SALTANDO A LA COMBA!!
¡AVANZAD CON DETERMINACIÓN!

PERO CUIDADO, ¡EL PASILLO SE MUEVE HACIA ATRÁS!
RRRURRR

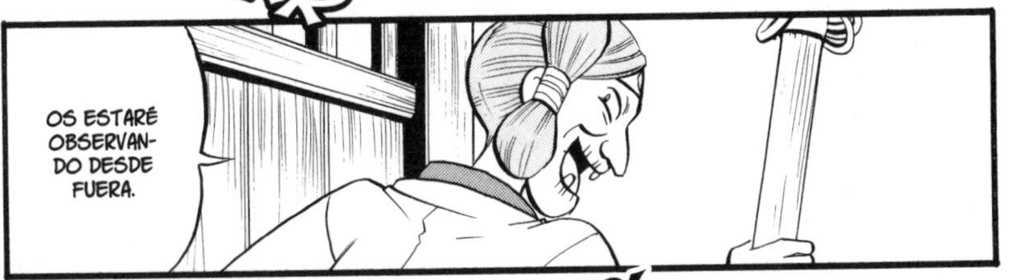
OS ESTARÉ OBSERVANDO DESDE FUERA.

¡CHAC!
ARF
¡CHAC!
AGH
¡CHAC!
AGH
BUF
¡CHAC!

¡CHAC!
¡CHAC!
¿¡ASÍ QUE POR ESTO SE LLAMA "CAMINO DEL SALTO"?!
¡CHAC!
ARF
ARGH
ARF
ARF
¡CHAC!
¡SI OS ENGANCHÁIS CON LA CEPA UNA SOLA VEZ VOLVERÉIS AL PUNTO DE SALIDA!
¡CHAC!
¡CHAC!

¡HASTA QUE HAYÁIS ATRAVESADO EL PASILLO, POR SUPUESTO!

¡¿CUÁNTO TIEMPO NOS VAS A TENER ASÍ?!

NOTA: UN QUINTO DE LEGUA EQUIVALE A 1,1 KILÓMETROS.

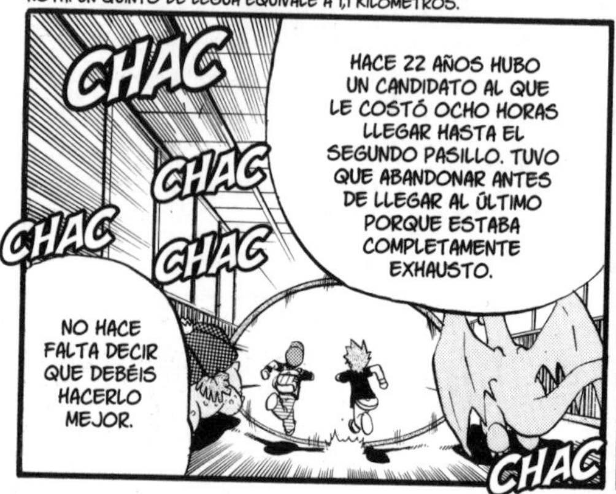

CHAC
CHAC
CHAC
CHAC
HACE 22 AÑOS HUBO UN CANDIDATO AL QUE LE COSTÓ OCHO HORAS LLEGAR HASTA EL SEGUNDO PASILLO. TUVO QUE ABANDONAR ANTES DE LLEGAR AL ÚLTIMO PORQUE ESTABA COMPLETAMENTE EXHAUSTO.
NO HACE FALTA DECIR QUE DEBÉIS HACERLO MEJOR.
CHAC

POR CIERTO, EL ENTRENAMIENTO CAMBIA CADA QUINTO DE LEGUA.

SAUR, ¡¿PUEDES IR MÁS DESPACIO?!
CHARIZARD, MÁS RÁPIDO, QUE VAMOS MUY LENTOS.

¡COMO ESTO SIGA ASÍ ESTAMOS LISTOS!
ARF, ARF.

¡¿SALTAR A LA COMBA TE PARECE DIGNO DE UN ENTRENAMIENTO LEGENDARIO?!

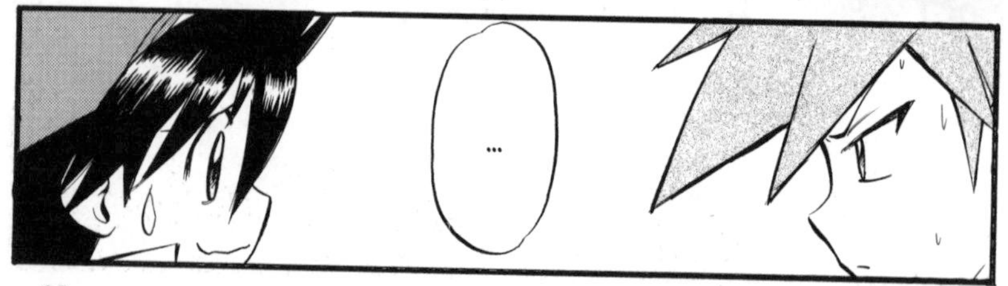

...

BLAM
¡¡LO HEMOS LOGRADO!!
ARF
¡CHAC!
ARF
¡CHAC!
AGH
¡CHAC!
AH
SA... SAUR, ¡¡COGE EL RITMO DE CHARIZARD!!

El "Camino de la Recolección"
¡BIEN! ¡¡OS ESPERA EL SIGUIENTE PASILLO!!

JO, JO... MUY BIEN.
AGH
BUF
ARF

¡¡SUBID A ESOS DODRIO!!
SEGUID ADELANTE, PERO ATENTOS, ¡¡LA VELOCIDAD HA INCREMENTADO!!
DASH
¡¡Y...
...NO PODÉIS DEJAROS NI UNA SOLA DE LAS BAYAS QUE CAEN POR EL CAMINO!!

ZU ZU ZU ZU ZU

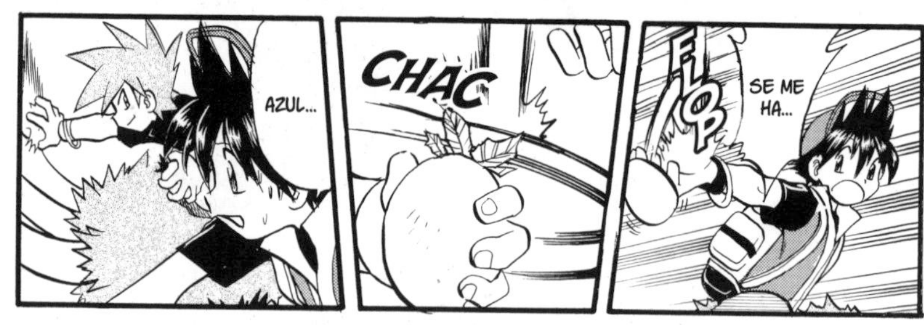
AZUL...
CHAC
FLOP
SE ME HA...

Camino del Combate
EL "CAMINO DEL COMBATE". ¿COMBATE CON QUIÉN?
AGH
BUF
ARF

BIEN, ¡¡EL ÚLTIMO PASILLO!!
¿ESTÁS BIEN, ROJO?
BUF
AH

CON QUIEN TENÉIS AL LADO.
!!
¡¿QUÉ QUIERES DECIR?!

¿NO OS LO HABÍA DICHO YA?
SOLO LE VOY A TRANS-MITIR MI SECRETO...
...A UNO DE VOSOTROS.

CLAN
CLAN
CLAN

LAX/Snorlax ♂

Normal

NV.89 (AL LLEGAR AL CAPÍTULO 180)

HABILIDAD: INMUNIDAD

NATURALEZA: AGITADA

A PESAR DE QUE PRÁCTICAMENTE SE PASA EL DÍA COMIENDO Y DURMIENDO, CUANDO LLEGA EL MOMENTO NO HAY NADA TAN SEGURO COMO LOS PODEROSOS MOVIMIENTOS QUE REALIZA CON SU ENORME CUERPO...

GYARA/Gyarados ♂

Agua
Volador

NV.84 (AL LLEGAR AL CAPÍTULO 180)

HABILIDAD: INTIMIDACIÓN

NATURALEZA: HURAÑA

UN POKÉMON QUE RECIBIÓ DE MISTY. DOMINA UN GRAN NÚMERO DE MOVIMIENTOS DE TIPO AGUA.

AERO/Aerodactyl ♂

NV.85 (AL LLEGAR AL CAPÍTULO 180)

HABILIDAD: CABEZA ROCA

NATURALEZA: ACTIVA

FUE RECREADO EN EL GIMNASIO DE CANELA A PARTIR DEL ÁMBAR VIEJO DE GIOVANNI. ESTE POKÉMON CON CAPACIDAD DE VUELO SE CONVIRTIÓ EN UN BUEN MIEMBRO DEL EQUIPO, CUYA AYUDA HA RESULTADO VITAL EN MUCHAS SITUACIONES.

CAPÍTULO 183

SOLO LE VOY A TRANSMITIR MI SECRETO...
...A UNO DE VOSOTROS.

¡VAMOS! ¡A COMBATIR!
PAM

¡¡SERÁ UN DOS CONTRA DOS!!
¡ESTÁ PERMITIDO CAMBIAR ENTRE VUESTROS SEIS POKÉMON!
Camino
BLAM

R RR R
¿ESTE PASILLO TAMBIÉN SE MUE-VE?
!!
RRR
OO

CHAC
CHAC
¡EL PRIMER PASILLO, CAMINO DEL SALTO, SE MOVÍA HACIA ATRÁS!
¡SI OS ENGANCHÁIS CON LA CEPA UNA SOLA VEZ VOLVERÉIS AL PUNTO DE SALIDA!
CHAC
¡EL CAMINO DE LA RECOLECCIÓN IBA MULTIPLICANDO SU VELOCIDAD HACIA DELANTE!
DASH
...LOS DOS SUELOS SE MUEVEN DE MODO INDEPENDIENTE!
¡EN EL CAMINO DEL COMBATE...
¡PERO ESO NO ES TODO!
LA VELOCIDAD DEL PASILLO DEPENDE DEL COMBATE QUE DESARROLLE EL POKÉMON.
FIU
!!
UN MOVIMIENTO EXITOSO SIGNIFICARÁ UN AUMENTO DE LA VELOCIDAD HACIA DELANTE...
EN CAMBIO, QUIEN RECIBA EL DAÑO SE MOVERÁ EN LA DIRECCIÓN CONTRARIA.
¡¡EL QUE LLEGUE ANTES SERÁ DECLARADO VENCEDOR!!

DASH
¡¡¡EMPIEZA EL COMBATE!!!
¡¡VAMOS!!
¡POM!

NO PENSABA QUE COMBATIRÍAMOS ENTRE NOSOTROS...
YO TAMBIÉN ESTOY SORPRENDIDO.
POR OTRO LADO, SI SOMOS RACIONALES
NO HACE NINGUNA FALTA QUE COMBATAMOS EN SERIO...
!!

SI ME DEJO GANAR, LA HABILIDAD ES TUYA...
SI LO HACES TÚ, LA HABILIDAD ES MÍA. ES PAN COMIDO.

SÍ... PERO...
¿A TI TE PARECE BIEN, AZUL?

EL CASO ES QUE...
HMPF

PASE LO QUE PASE NOS ENSEÑARÁ A UNO DE LOS DOS.
A MÍ ME DA IGUAL QUIÉN SEA.
LO QUE ME IMPORTA ES DERROTAR A NUESTRO ADVERSARIO.

CLASH
FUA
ZUM
GOL-DUCK, ¡¡COLA FÉ-RREA!!
PORY-GONZ, ¡¡TRIATA-QUE!!
A
SH

EN TEORÍA TODO ESO ESTÁ MUY BIEN, PERO COMO MI OPONEN-TE ERES TÚ,
NO PIENSO DEJARME GANAR...
...
¡Y YO!
¡COMBA-TIRÉ CON TODAS MIS FUERZAS!

GYARA, ¡¡GOLPE CUERPO!!
ZUM
BAM
LAX, ¡¡FUERZA!!

!!
BRRR
CHANC
UAAAH
UIII

LA INTIMIDACIÓN DE GYARADOS HA REDUCIDO EL PODER DE LOS MOVIMIENTOS DE AZUL...
...PERO SU PRIMER MOVIMIENTO HA SIDO MÁS FUERTE, Y POR ESO TU PASILLO HA RETROCEDIDO.

EL MOVIMIENTO DEL PASILLO ESTÁ CONECTADO AL COMBATE...
¡MUY BIEN...!

ENTONCES...
¡¡GYARA!!

FLASH
¡¡HIPERRAYO!!
¡UGH!
¡¡ESTÁ BASTANTE ATRÁS, PERO SU ATAQUE HA SIDO POTENTE!!
¡¡GOLDUCK, A CUBIERTO!!
ZAP ZAP ZAP ZAP
¡¡EXCAVAR!!
¡EMERGER POR SORPRESA PUEDE DARLE VENTAJA EN EL SIGUIENTE MOVIMIENTO!
¡¡...!!

BOOOM
¡¡SÁÁÁ!!
¡¡TERREMOTO!!
BRRRM
¡¡OH, NO!!
...ESTÁ AÚN PEOR!!
BROOOOM
¡TERREMOTO ES TAN INTENSO QUE AFECTA A VARIOS POKÉMON A LA VEZ...!
¡¡Y GOLDUCK, QUE HA UTILIZADO EXCAVAR PARA AVANZAR BAJO EL PASILLO...
¡GOLDUCK Y PORYGONZ HAN QUEDADO DAÑADOS!

¡¡GODUCK!!
PAF
GYARADOS ES DE TIPO VOLADOR Y TERREMOTO NO LE AFECTA.
ROJO HA SIDO MUY HÁBIL.
¡CHANG!
¡¡YA LO TENEMOS!!
¡LAX, GYARA! ¡BIEN HECHO!
BZZZ BZZZ BZZZ
¡¿GYARA?!
¡ESTÁ PARALIZADO! ¡¡AZUL HA LANZADO UN TRIATAQUE Y ESTÁ SURTIENDO EFECTO AHORA!!
¡ESTO PINTA MAL!

FLAP
¡PARECE UNA REPETICIÓN DE NUESTRO ENFRENTAMIENTO EN LA LIGA!
¿NO TE SUENA, ROJO?
¡¡LA COSA SE PONE VERDADERAMENTE EMOCIONANTE!!
GRAR
UARGH

CAPÍTULO 184

FUUUM
BAAM
CHAC

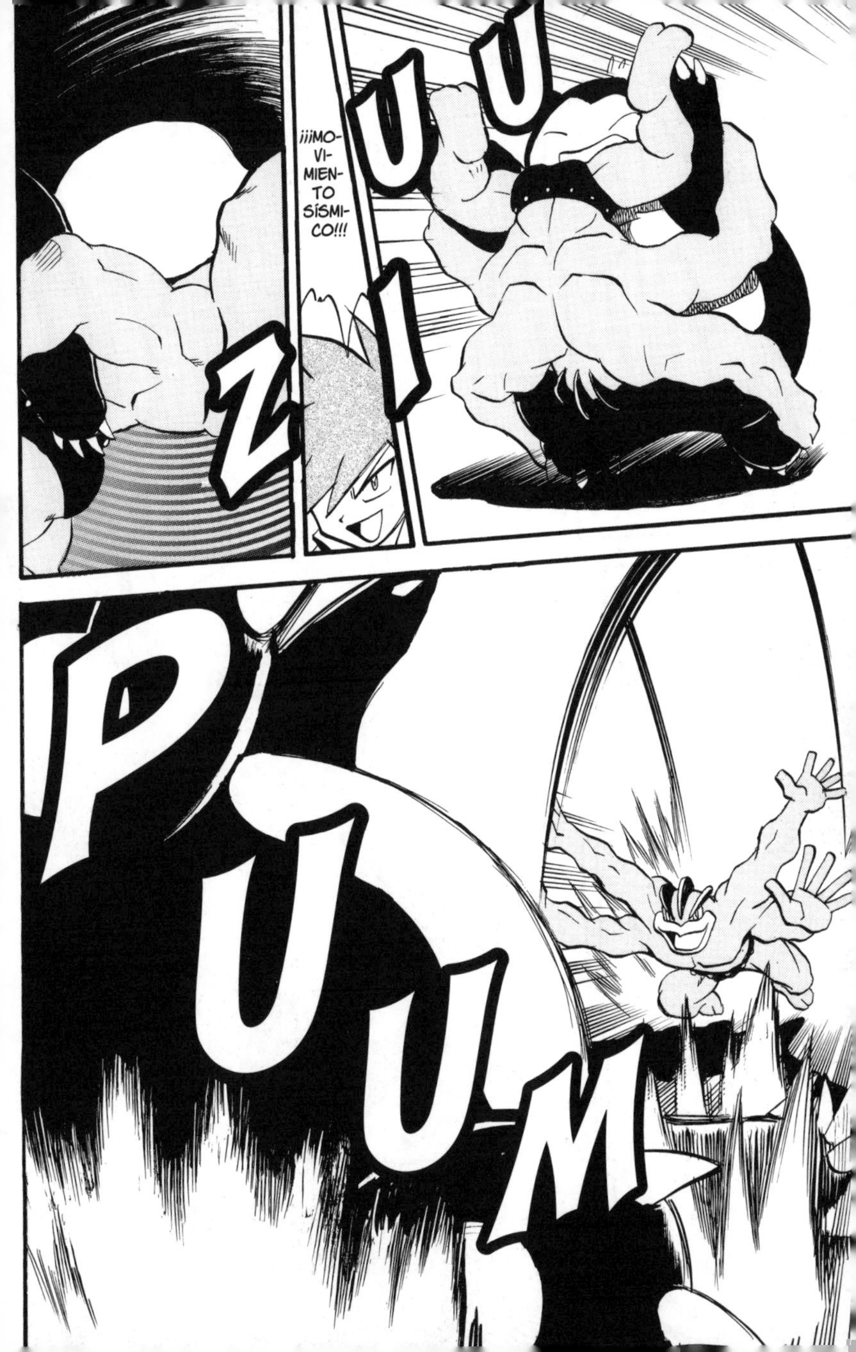
¡¡¡MOVIMIENTO SÍSMICO!!!
ZIUU
PUUM

¡¡ESOS 4 BRAZOS SIEMPRE NOS DAN PROBLE-MAS!!
¡Y EN COMBINACIÓN CON EL MOVIMIENTO DE SCIZOR EL IMPACTO HA SIDO AÚN MÁS FUERTE!
¡¡MA-CHAMP, ACABA CON ÉL!!

FUOOSH
BAAAM

ZU
¡¡¡PATADA BAJA!!!
UUM!
BOOM

HMMM...

¡LA PATADA BAJA ES MÁS INTENSA CUANTO MÁS PESADO ES EL ADVERSARIO!
¡ES IDEAL PARA TUMBAR A LAX!

¡¡LAX!!

PENSABA QUE ROJO HABÍA VENCIDO...
JI, JI, JI... AZUL SE HA DEFENDIDO BIEN.
¡DESPUÉS DE RETIRAR A PORYGON2 HA CONTRAATACADO ENSEGUIDA CON SUS OTROS DOS POKÉMON!
¡UGH!
¡¡LAX, GYARA, BIEN HECHO!!
ZAM
¡¡ALA DE ACERO!!
CHAC
¡OTRA VEZ, SCIZOR!
FASH

POM
¡¡AERO, PIKA!!
¡¡PASEMOS AL COMBATE AÉREO!! ¡¡ADELANTE!!
BOM
¡LA HABILIDAD DE AERO, CABEZA ROCA...
BAM
BAM
BAM
BAM
...LE PERMITE SEGUIR GOLPEANDO Y USANDO DERRIBO SIN HACERSE EL MÁS MÍNIMO DAÑO!

¡LA VELOCIDAD DE AMBOS ESTÁ CASI IGUALADA! ¡MUY BIEN!
ÑUC
¡¡GARRA DRA-GÓN!!
ÑUC
¡¡VUELVE, SCIZOR!!
SHUUU
¡¡ES NUESTRA OPOR-TUNIDAD, PIKA!!
FWWW
FWWW
FWWW
!
SSSSH
SSSSH

¡¡¿CÓMO HA LOGRADO REPELER UN MOVIMIENTO DE TIPO ELÉCTRICO...?!!
!!

FRRZZZZZ
¡¡RHYDON!!

¡¡¿ESA ERA LA HABILIDAD PARARRAYOS...?!!

¡¡EXACTO, CON ELLA ATRAE Y CONCENTRA TODA LA ELECTRICIDAD DEL ENTORNO!!
¡¡LOS MOVIMIENTOS DE PIKA NO PUEDEN ALCANZAR A MACHAMP!!

¡ROJO, A LOS DOS NOS QUEDA UN SOLO POKÉMON!

¡PERO AQUÍ LA VICTORIA NO LA DECIDE EL NÚMERO DE POKÉMON, SINO QUIÉN LLEGA PRIMERO AL FINAL DEL PASILLO!

¡¡YA CASI ESTOY...!!
¡¡LA VICTORIA ES MÍA!!
¡NI HABLAR! ¡¡NO ME DERROTARÁS!!
¡¡YA ESTOY...!!
DASH
¡¡PIKA!!
¡¡SI LA ELECTRICIDAD NO VALE...
¡TAH!

...SIEMPRE QUEDA EL CUERPO A CUERPO!!
SHAAAA
FIU
¡¡COLA FÉRREA!!
FIU

CHAAC
¡¡UGH!!
GGG
¡DASH!

ARF
AH
BUAH
FUH
AGH
AH
BUF

QUI... ¿QUIÉN HA LLEGADO ANTES? ¿TÚ... O YO?
AGH
ARF
BUENO... ME HA PARECIDO... QUE A LA VEZ... BUF...
BUF

¡YA HEMOS LLEGADO AL FINAL DEL PA-SILLO!
¡QUERE-MOS EL VERE-DICTO, ABUELA!

SSSH...
ÑIEC
¿ABUE-LA?
?!

FAH
¡¡PE-
RO SI
ES...!!

¡¡NUES-
TRO
ENEMI-
GO...!!
ZAAAS

¡UGH!
¡CHAC!
¡¡NOS HA ATRAPADO!!
SI... SI AL MENOS TUVIÉRAMOS FUERZAS...
¡HA APARECIDO JUSTO CUANDO NO TENEMOS FUERZAS PARA CONTRAATACAR!
SHIIINNN
¡LOS BRAZALETES DE ÚLTIMA...! ¡¡ESTÁN BRILLANDO!!
¡¡ESTÁN APARECIENDO... UNA ESPECIE DE INSCRIPCIONES!!

PLANTAAA... FE... ROOOZ...
ANILLO... ÍG... NEOOO...

¡ABUELA! ¡¿QUÉ TRATAS DE DECIRNOS?!
¡¡AZUL!!
¡SAUR Y CHARIZARD ESTÁN REACCIONANDO! ¿Y SI...?
¿Y SI FUERAN LOS MOVIMIENTOS DEFINITIVOS...?
¡¡ES POSIBLE...!!

¡¡NO HAY TIEMPO...!!
¡¡HAGÁMOSLO!!

GROAARG
¡¡ANILLO ÍGNEO!!
¡¡PLANTA FEROZ!!

TRI-TICKET
AZUL
●LUGAR DE NACIMIENTO: PUEBLO PALETA
●CUMPLEAÑOS: 22 DE NOVIEMBRE
●GRUPO SANGUÍNEO: AB
●EDAD: 16 AÑOS (EN ESTA SAGA)
●LOGROS: APROBÓ EL EXAMEN DE LÍDER DE GIMNASIO Y ACTUALMENTE EJERCE COMO TAL EN CIUDAD VERDE

RIVAL Y MEJOR AMIGO DE ROJO. SEGUNDO FINALISTA EN LA NOVENA EDICIÓN DE LA LIGA POKÉMON, SU FUERZA ES EQUIPARABLE A LA DE ROJO. ES EL NIETO DEL PROFESOR OAK, LA GRAN AUTORIDAD POKÉMON. SU HERMANA ES DALIA.

SIEMPRE SE MANTIENE IMPERTURBABLE. ES CAPAZ DE CAPTAR EN UN INSTANTE LAS INTENCIONES DEL ADVERSARIO Y LA EVOLUCIÓN DEL COMBATE COMO NADIE.

AHORA MISMO INTENTA RESOLVER EL MISTERIO DE ARCHI7 CON ROJO.

CAPÍTULO 185

MIENTRAS ROJO Y AZUL SE HALLAN EN LA ZONA DE ENTRENAMIENTO DE ÚLTIMA...

ISLA TERA.

BROOM
BROOM
JE, JE, JE... ¡¡ISLA TERA, AMIGUITOS!!
¡¡UAH!! ¡¡UN LUGAR FANTÁSTICO PARA ARRASAR!!

AH, SÍ, LA "ISLA FAMILIAR PARA FAMILIARES."
¡UAGH! ¡¿FAMILIARES?!
¡¡ESTA ISLA ES COMO SI FUERA LA MADRE DE ESA OTRA PEQUEÑA, CONECTADA POR EL PUENTE UNIÓN!!
¡¡Y AQUEL DEBE DE SER EL BOSQUE BAYA!!

BROOOM
¡ENTERNECEDOR! ¡BOSQUE BAYA, CHICOS! ¡¡TODO PARA NOSOTROS!!
¡¡Y DESPUÉS LE PRENDEMOS FUEGO A LA ISLA!!
¡¡OH, SÍII!!
BROOOM

ESPERAAA.
SCREEEK
BROOOOM
¡¡TE TENGO!!
!!

¿¡PERO QUÉ ES ESTO?! ¡¡¡¿QUÉ HACE AQUÍ ESTA RENACUAJA?!!!
¡¡¿UNA ENANA BLOQUEANDO EL PASO?!!
OH, OH, UH, UH...

FIUUU
¡BUAAAH!
¡¡LO SIEN-
TOOO!!
¡¡SILEN-
CIO!!
ZAH
¡¿SABES LO
QUE VOY
A HACER?!
¡¡APLASTAR
TU CUER-
PECITO!!

¿UH?

ISLA PRIMA. CENTRO DE RED POKÉMON.
BUF.
¿CÓMO ESTARÁN ROJO Y AZUL...?
MIRA QUE MARCHARSE ASÍ CON ESA ANCIANA...
ME PREGUNTO SI DE VERDAD VA A ENSEÑARLES ALGO...

BUENO, NO ES MOMENTO DE ESTAR PREOCUPÁNDOME POR LOS DEMÁS...
DEBO COGER ESTE EQUIPO Y ARREGLAR EL SISTEMA DE TELETRANSPORTE POKÉMON.
!!

VERDE...

TODAVÍA ESTÁ INCONSCIENTE...

¡BUENO, NOS VAMOS!
BILL, CUIDA DE VERDE...
S... SÍ, YA ME OCUPO YO, TRANQUILOS.
¡MUY BIEN!
U... ¡UN MOMENTO, ROJO!
¡HAY ALGO QUE QUIERO PREGUNTARTE!
ANTES HAS DICHO...
...QUE HABÍAIS VENIDO SIGUIENDO LAS INSTRUCCIONES DEL PROFESOR OAK.
SÍ, EN LA MESA DEL LABORATORIO HABÍA MEMORINES CON EL MENSAJE DEL PROFESOR Y UNOS SOBRES CON LOS TRI-TICKETS PARA EL BARCO.
PARA VOSOTROS DOS Y PARA VERDE.
¿TRES SOBRES Y TRES MEMORINES?
¡HMPH!
¿Y NO ES UN POCO RARO?

VERDE YA HABÍA COGIDO SU TRI-TICKET, ¿NO?
SE LO DIO EL PROFESOR OAK EN PERSONA, ¿NO?
SI HABÍA TRES SOBRES, ¿QUÉ HAY EN EL DE VERDE?
¿Y QUÉ MENSAJE HAY EN SU MEMORÍN?
...
YA HABÍA PENSA-DO EN ELLO...
EN EL SOBRE Y EL MEMORÍN DE VERDE PODRÍAMOS ENCONTRAR UNA PISTA...
...PERO...
...VAN DIRIGIDOS A ELLA.
ES MEJOR QUE LO COMPRUE-BE ELLA MISMA.

SE LOS HE DEJADO AHÍ...
Para Verde

¡¡BILL!!
AH...

¡ESTAMOS LISTOS! ¡¡TE ESTAMOS ESPERANDO EN LA MÁQUINA DE REDES!!
¡¡AH, VOY!!

¡PARECE QUE HAY ALGUNA ENERGÍA EXTERNA INTER-FIRIENDO EN EL SISTEMA!
¡¿EN SERIO?! ¡¡¿CÓMO PUEDE SER?!!
¡LO QUE FALTABA!

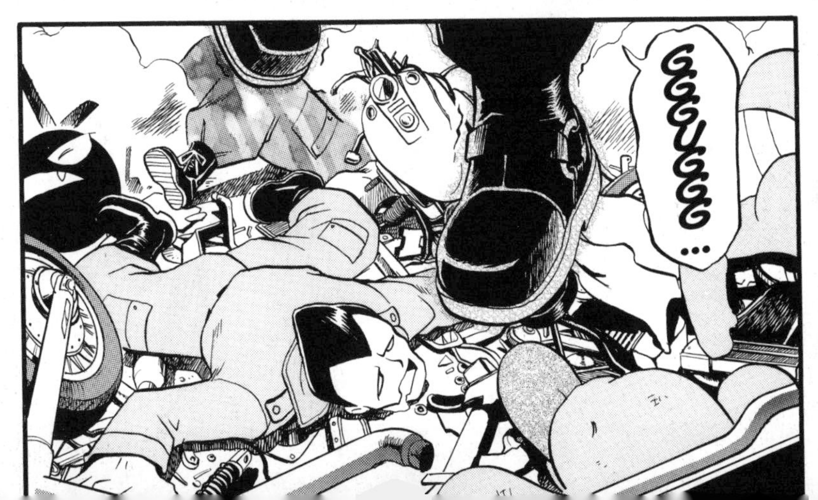
GGGUGGG...

SO... SOCO-RRO...
SU... ¡SUÉL-TAME!

ZAAAS

¡AAARGH!
¡UEEERG!

TAP

ZUUUM
BUF
ARF
AGH

GRA... ¡¡GRACIAS!! ¡¡ME.. ME HAS SAL-VADO!!

E... ¡¡ERA UN MONSTRUO!! ¡¡UN EXTRA-TERRESTRE...!! NOS HA EMPEZADO A ATACAR SIN MÁS...
¡¡HA HECHO TRIZAS A MIS CO-LEGAS!!

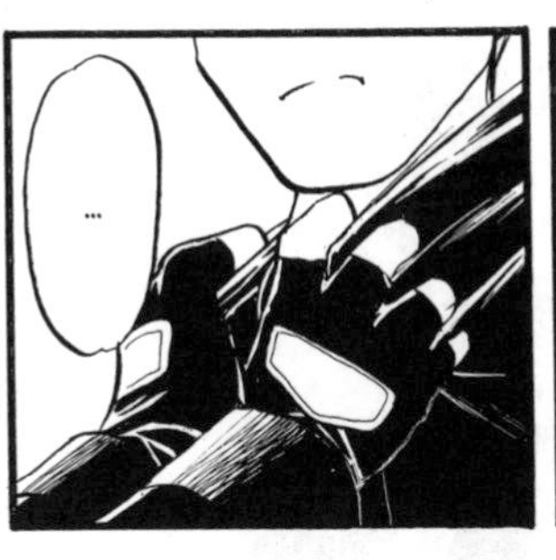
...

PAF
¡¡BUAH!!
¡¿PERO QUÉ HACES, MALDITA SEA?!
¡¿ESTÁS COMPINCHA-DO CON ESE MONS-TRUO?!
POM
¡POM!
¡POM!

¡¡¡TUMBA ROCAS!!!
BRRM
¡PATÉTICO MOTORIS-TA...!
¡SI VAS A HACER EL MAL, DEBERÍAS EMPLEARTE A FONDO!
¡LOS AFICIONADOS OFRECÉIS UN ESPEC-TÁCULO LAMENTA-BLE!
POR CIER-TO...

NO ES UN MONSTRUO.
¡ES UN POKÉMON MAGNÍFICO!
¡UN POKÉMON LLEGADO DEL ESPACIO EXTERIOR!
¡¡UNA CRIATURA CON UN PODER SIN PARANGÓN...!!

¡¡DEOXYS!!

R

POKÉMON DEL EQUIPO DE AZUL

1

CHARIZARD/Charizard ♂

Fuego
Volador

- **NV.89** (AL LLEGAR AL CAPÍTULO 183)
- **HABILIDAD: MAR LLAMAS**
- **NATURALEZA: OSADA**

LO RECIBIÓ DEL PROFESOR OAK. AZUL LO HA ENTRENADO DESDE QUE ERA UN CHARMANDER, Y PARA ÉL ES COMO SI FUERA UN HIJO.

GOLDUCK/Golduck ♂

Agua

- **NV.88** (AL LLEGAR AL CAPÍTULO 183)
- **HABILIDAD: ACLIMATACIÓN**
- **NATURALEZA: SERIA**

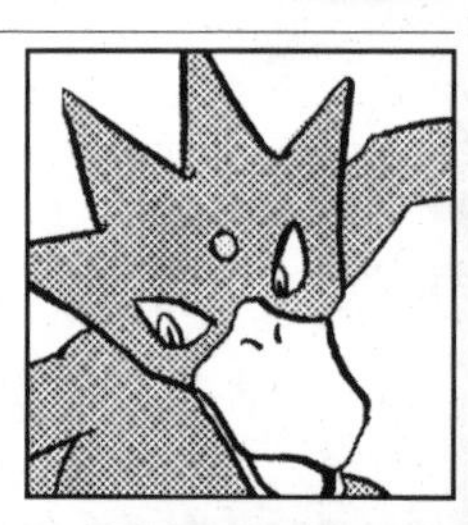

ES CAPAZ DE LEER LA MENTE DE POKÉMON Y PERSONAS Y DESCUBRIR ENEMIGOS OCULTOS. TIENE UNA ALTA CAPACIDAD PSÍQUICA.

MACHAMP/Machamp ♂

Lucha

- **NV.80** (AL LLEGAR AL CAPÍTULO 183)
- **HABILIDAD: AGALLAS**
- **NATURALEZA: TÍMIDA**

EVOLUCIONÓ DE PRONTO DESPUÉS DE QUE ROJO LO INTERCAMBIARA CON AZUL. POSEE UNA FUERZA FÍSICA EXTRAORDINARIA Y ES CAPAZ DE LANZAR POR LOS AIRES A CUALQUIER OPONENTE.

CAPÍTULO 186

FLOSH
¡¡ANILLO ÍGNEO!!
¡¡PLANTA FEROZ!!
GUARG
FRAAASH
¡¡ESOS SON...
...LOS MOVIMIENTOS DEFINITIVOS!!

BAAAM
BAUUM
!!

FLUUU
RRR
¡¡OH, NO!! ¡¡HA LOGRADO ESQUIVARLO!!
¡¡BIEN!! ¡¡INTENTÉMOSLO DE NUEVO!!

!!
¡ESOS MOVIMIENTOS LOS HAN DEJADO DEMASIADO DÉBILES!
¡NO PODEMOS VOLVER A UTILIZARLOS!
ROJO...
NO LOS HA ESQUIVADO, ES QUE NO HEMOS ACERTADO.

RRR
LOS HEMOS USADO SIN CONOCER LA INTENSIDAD, PRECISIÓN Y EFECTO SOBRE NUESTROS POKÉMON.
HA SIDO UN FALLO DE PLANIFICACIÓN DE NUESTRA PARTE.
SHIU
!!
¡¿QUIERES DECIR QUE ESOS MOVIMIENTOS EXCEDEN NUESTRAS CAPACIDADES?!
OS EQUIVOCÁIS, ZAGALES.

NO HA ESTADO NADA MAL PARA SER VUESTRA PRIMERA VEZ. YA VEO QUE POR ALGO OS CONSIDERAN LOS ENTRENADORES MÁS FUERTES DE LA REGIÓN...
PRACTICANDO LOGRARÉIS MEJORAR LA PRECISIÓN.
PERO TENGO QUE RECONOCER QUE ESTOY IMPRESIONADA...

HABÉIS LOGRADO USAR LOS MOVIMIENTOS DEFINITIVOS VOSOTROS SOLOS...
JIE
ESTUPENDO, MOZALBETES.

!!
¡¡¿QUÉ QUIERES DECIR?!!
¡¿TE ESTÁS QUEDANDO CON NOSOTROS?!
¿QUEDARME CON VOSOTROS?
NO HAY NI UN ÁPICE DE MENTIRA EN LO QUE HE DICHO...
¡¡DEJA DE TOMARNOS EL PELO!!

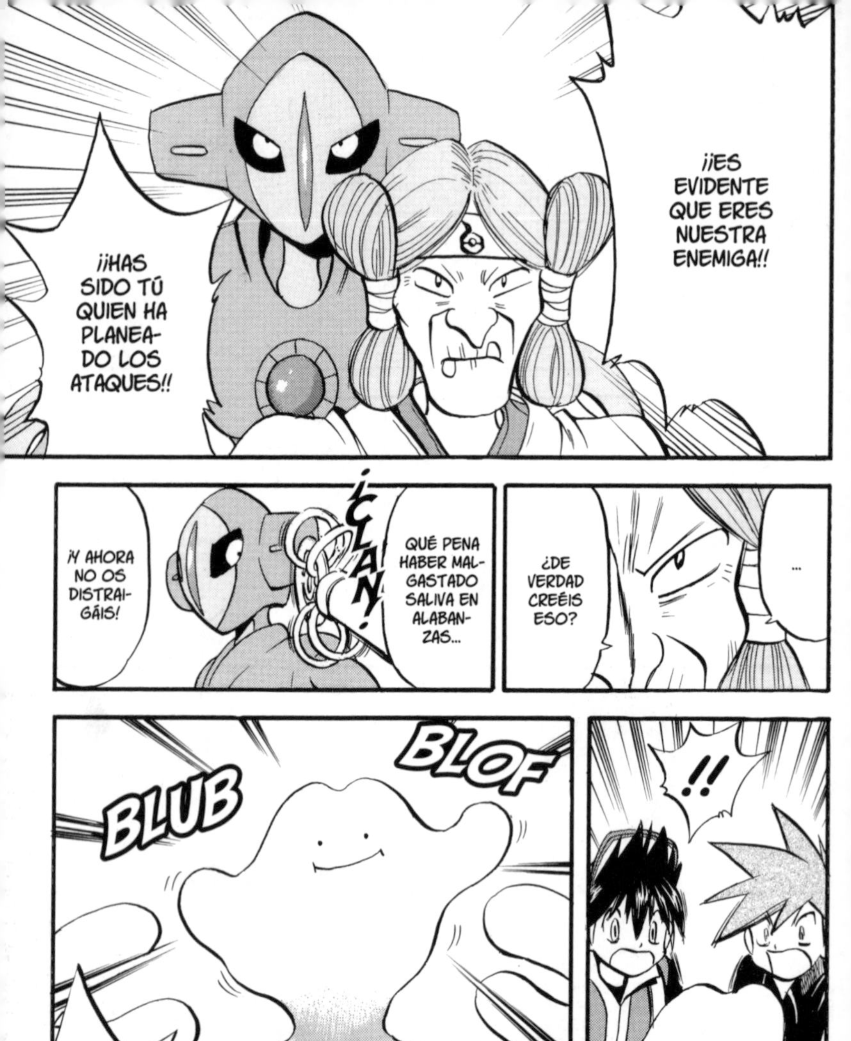
¡¡ES EVIDENTE QUE ERES NUESTRA ENEMIGA!!
¡¡HAS SIDO TÚ QUIEN HA PLANEADO LOS ATAQUES!!
...
¿DE VERDAD CREÉIS ESO?
QUÉ PENA HABER MALGASTADO SALIVA EN ALABANZAS...
¡CLAN!
¡Y AHORA NO OS DISTRAIGÁIS!

!!
BLORP
BLOF
BLUB
DI... ¡¿DITTO?!

E... ¡¿ERES EL DITTO DE VERDE?!
LO HAS TENIDO PEGADO A TU MOCHILA DESDE QUE SALISTE DE ISLA PRIMA.
HEMOS HECHO BUENAS MIGAS MIENTRAS VOSOTROS CONTINUABAIS ENTRENANDO EN EL PASILLO, ¿VERDAAAD?
SOLO ESTÁBAMOS JUGANDO, ¿A QUE SÍ? TAMPOCO HAY QUE PONERSE ASÍ, ¿VERDAD, DITTO...?
...
POR CIERTO...
HABLABA EN SERIO CUANDO HE DICHO QUE SOLO IBA A ENSEÑAR A UNO DE LOS DOS.
AMBOS HABÉIS DEMOSTRADO TENER LA MISMA FUERZA Y HABÉIS LLEGADO AL FINAL DEL PASILLO AL MISMO TIEMPO.
NO TENÍA INTENCIÓN DE ENSEÑAROS A LOS DOS.

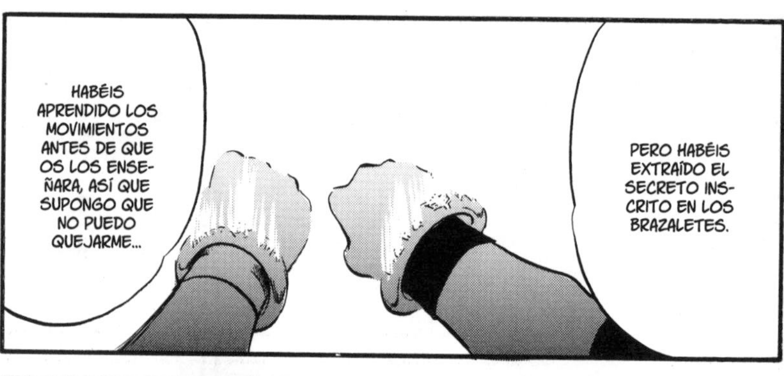
HABÉIS APRENDIDO LOS MOVIMIENTOS ANTES DE QUE OS LOS ENSE- ÑARA, ASÍ QUE SUPONGO QUE NO PUEDO QUEJARME...
PERO HABÉIS EXTRAÍDO EL SECRETO INS- CRITO EN LOS BRAZALETES.

CHAC
CLAN
CLAN

DEBERÉIS ENTRENAR PARA LOGRAR EL OBJETIVO QUE ESTÁIS PERSIGUIEN- DO.
CLAN
CLANC
AH, HAY ALGO MÁS.
ÚLTIMA...

NO SÉ LO QUE HA OCURRIDO, PERO ESE DITTO ESTABA DESES-PERADO.
UTILIZÓ TRANS-FORMACIÓN PARA EXPLICARME LO OCURRIDO A BORDO DEL BARCO.
PARECE UN ADVERSARIO TERRIBLE.
SI MIS MOVIMIENTOS DEFINITIVOS SON CAPACES DE VENCER A UN ENEMIGO ASÍ...
JI, JI, JI... ¡¡PODRÉ IR POR AHÍ CON LA CA-BEZA BIEN ALTA!!
...
TENED CUIDADO.
AH...

¡¡MUCHAS GRACIAS!!
¡¡GRACIAS POR ENSEÑARNOS LOS MOVIMIENTOS DEFINITIVOS!!

UF...
SON MOVIMIENTOS INCREÍBLEMENTE PODEROSOS.

PERO SEGÚN ÚLTIMA NO PODEMOS USARLOS EN UN COMBATE MIENTRAS NO HAYAMOS MEJORADO LA TÉCNICA.
SIN LA POKÉDEX NO PODEMOS CONSULTAR MOVIMIENTOS, TENDREMOS QUE APAÑARNOS SIN ELLA.
LA PRÁCTICA HACE LA PERFECCIÓN.

DITTO, NO SABÍAMOS QUE TE HABÍAS PEGADO A NOSOTROS.
HABRÁ SIDO MUY DURO VER CÓMO HAN HECHO DAÑO A VERDE.

NECESITO QUE HAGAS ALGO...
FLUUF

¿PUEDES USAR OTRA VEZ TRANSFORMACIÓN?
¡¿QUÉ OCURRE, AZUL?!

¡ROJO, ¿NO TE HAS DADO CUENTA?!
BLOB
BLOB
DE... ¿DE QUÉ?

¿TE HAS FIJADO EN EL ASPECTO DE NUESTRO ADVERSARIO?

¿RECUERDAS LA IMAGEN GRABADA EN EL SCOPE SILPH DE VERDE?
!!!

AQUÍ SE VE ALGO EXTRAÑO...
SI COMPARAMOS LA IMAGEN DEL SCOPE SILPH Y LA REPRODUCCIÓN DE DITTO...

¡¡¡SE PARECEN, PERO SON DISTIN-TOS!!!
¡¡AH!!
¡¿QUÉ SIGNIFICA ESO?!
¿ACASO SON VARIOS ENEMIGOS? ¿O ES UN PO-KÉMON QUE HA EVOLU-CIONADO?
GULPS...
PUEDE QUE... SEA UN ENEMIGO CAPAZ DE CAMBIAR SU FORMA DEPEN-DIENDO DE LA SITUACIÓN DEL COMBATE...
SERÍA IMPORTANTE SABERLO PARA PLANEAR NUESTRA ESTRATE-GIA.
BLOB
BLORF
¡SI NO LO AVERIGUA-MOS...
...NO TENEMOS NADA QUE HACER!

PIRRR

¿SÍ?
¡AH, ROJO!
¡BILL!

¿QUÉ TAL ESOS MOVIMIENTOS DEFINITIVOS?
TODO BAJO CONTROL...

PERO...
¡ACABO DE DESCUBRIR ALGO IMPORTANTE!

¡DEBÉIS VENIR AL CENTRO POKÉMON!
OS HE ENVIADO UNOS PASAJES,
LLEGARÁN EN BREVE.

UTILIZADLOS Y...
¡¡VENID RÁPIDO A ISLA QUARTA!!
IRIS-TICKET

¡¡ES ALGO MUY IMPORTANTE,
ASÍ QUE DAOS PRISA!!
UN... UN MOMENTO, BILL, ¡¡¿QUÉ ES ESO QUE NO PUEDE ESPERAR?!!

¡¡ESTO ES SERIO!!
¡¡ESTÁ AQUÍ!!

¡¡EL ENEMIGO QUE OS HA ATACADO
HA APARECIDO EN ISLA TERA!!

PARA LLEGAR A ISLA QUARTA NO SIRVEN LOS TRI-TICKETS, NECESITARÉIS LOS IRIS-TICKETS.

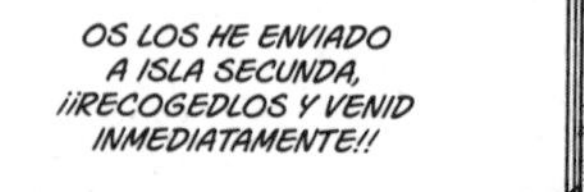

OS LOS HE ENVIADO A ISLA SECUNDA, ¡¡RECOGEDLOS Y VENID INMEDIATAMENTE!!

OS ESPERO
EN LA CUEVA
GLACIADA DE
ISLA QUARTA.

¡BUF! ¡QUÉ
FRÍO!
¿SERÁ
ESTA LA
CUEVA DON-
DE HEMOS
QUEDADO
CON BILL?
AUNQUE SEA
DE NOCHE, AQUÍ
HACE MUCHO
MÁS FRÍO QUE
EN ISLA PRIMA
Y SECUNDA.

AH...
AQUÍ HABITAN
POKÉMON DE
TIPO HIELO. SU
RESPIRACIÓN
PROVOCA LA
BAJADA DE
TEMPERATU-
RA EN LA
CUEVA.

¡SHIIIN!
¿EH?

¿QUÉ ES
ESO?

ZOOOONG
!!

ZAAAM

ZAAAM
ZAM
¡¿NOS ESTÁ ATACANDO ESE EXEG-GUTOR?!
¡¡GE-NIAL!!
¡ASÍ PODRE-MOS ENTRE-NAR!
¡¡CHARI-ZARD!!
POM
FWOOSH
¡¡ANI-LLO ÍG-NEO!!
¡EH! ¡¡EH!! ¡¡ESPERAD, ESPERAD, ESPERAD!!
ZUZUU

¡¡BILL!!
¡¿QUÉ OCURRE?!

¡¡LO SIENTO, ESTABA PROBANDO ESTE APARATO!!

ES UN BUSCAPELEA.
CAPTA LAS INTENCIONES HOSTILES POR PARTE DE ADVERSARIOS POTENCIALES.

ES ALGO EXCEPCIONAL. ¡LOCALIZA A ENTRENADORES CON INTENCIÓN DE COMBATIR EN UN RADIO DE 100 METROS Y SEÑALA SU LOCALIZACIÓN CON UNA SEÑAL LUMINOSA!
¡HE PENSADO QUE OS SERÍA ÚTIL!

¡SI DETECTA LA INTENCIÓN DE COMBATIR...
!!

...NOS AVISARÁ CUANDO EL ENEMIGO SE ACERQUE! ¡ESTUPENDO!
PUES ME PARECE QUE NO...
SOLO DETECTA LA INTENCIÓN DE COMBATE DE ENTRENADORES HUMANOS.

PUES MENUDA AYUDA... ¿Y QUÉ TAL SI NOS CUENTAS ESO DE LA REAPARICIÓN DEL ENEMIGO?

ME ESTABA TEMIENDO VUESTRA RESPUESTA...
BUENO...
¡¡COMO YA OS HE DICHO, ESTO VA EN SERIO!!

GLUP

UNA NIÑA LO VIO EN ISLA TERA.
PEDRITA VIVE EN LA ZONA Y SE PUSO EN CONTACTO CONMIGO...
UNOS MOTORISTAS LA ESTABAN AMENAZANDO...
...Y ENTONCES LLEGÓ Y LOS HIZO VOLAR POR LOS AIRES.

¡NO CABE DUDA DE QUE ERA ÉL!

¡¿EEEEH?!
¡¿ENTONCES SALVÓ A LA NIÑA?!

NO ESTOY SEGURO DE QUE SU INTENCIÓN FUERA SALVARLA.
¡¡PERO LA COSA NO ACABA AHÍ!!

SEGÚN PEDRITA, CUANDO EL ENEMIGO DESAPARECIÓ LLEGÓ UN HOMBRE...

ERA UN SEÑOR DE UNA EDAD COMO LA DE MI PAPÁ... HE MANDADO UN DIBUJO POR FAX.

Y AL RECIBIRLO, VOY Y ME ENCUEN-TRO...
BEEEP
BEEEP

¡¡CON ESTO!!
FAH

!!

¡¡ESE TRAJE NE-GRO...!!
Y...
¡¡ESA "R" EN EL PE-CHO...!!

¡¡GIO-
VANNI!!

CUANDO LO VI NO PODÍA CREERLO.
¿PERO EL TEAM ROCKET NO ESTABA DISUELTO...? ¿QUÉ HACE AQUÍ SU LÍDER?

¿SERÁ GIOVANNI EL ENTRENADOR DE ESE POKÉMON?
¿O ESTARÍA HUYENDO DE UN POKÉMON SALVAJE?
NO SABEMOS SI HAY ALGUNA CLASE DE RELACIÓN ENTRE AMBOS.
PERO SI EL TEAM ROCKET ESTÁ IMPLICADO...
EN ESE CASO...
¡¡VOLVEREMOS A COMBATIRLOS!!
¡¡VOLVEREMOS A DERROTAR A GIOVANNI!!

OS PREGUNTARÉIS POR QUÉ OS HE REUNIDO AQUÍ, EN LA CUEVA GLACIADA...
¡HAY GENTE DE LA ZONA QUE HA VISTO MERODEANDO A MIEMBROS DEL TEAM ROCKET!

INTERESANTE. SI VAMOS TRAS EL TEAM ROCKET PODREMOS LOCALIZAR AL POKÉMON.
¿VEIS? ¡AL FINAL OS VA A RESULTAR ÚTIL EL BUSCAPELEA!

¡SE ACABÓ ESTAR A LA DEFENSIVA! ¡PASEMOS A LA ACCIÓN!
¡CLAC!
¡VEAMOS QUÉ ENEMIGOS HOSTILES NOS RODEAN!

FUUUM

FIUUU
¡¡ALLÍ!!

ZAH
ZAH
!!
ZAH
ZAH
ZAH

¡ZAH!

¡¡NO TIENEN INTENCIÓN DE DEJARNOS PASAR!!
¡¡ESTÁ CLARO QUE ACTÚAN BAJO LAS ÓRDENES DE UN ENTRENADOR!!

¡¡Y DEBE DE SER UN MIEMBRO DEL TEAM ROCKET!!
¡¡BIEN, SAUR!!

!!
FLOASH

POFFF
POFFF
POFFF
POFFF

HI... ¡¿HIELO?!
CHI-COS...
SI BUSCÁIS COMBATIR AL TEAM ROCKET...
CLAC
CLAC
LLEVADME CON VOSOTROS.

NADIE INVADE MI PUEBLO...
¡...SIN ANTES VÉRSELAS CONMIGO!

Pokémon del equipo de Azul 2

SCIZOR/Scizor ♂

Bicho
Acero

NV.82 (AL LLEGAR AL CAPÍTULO 184)

HABILIDAD: ENJAMBRE

NATURALEZA: DÓCIL

CON ESTE POKÉMON AZUL ES CAPAZ DE LEER LA MENTE DEL OPONENTE O DE DETECTAR ENEMIGOS INVISIBLES GRACIAS A UNA TÉCNICA ENSEÑADA POR SU MAESTRO ANÍBAL.

RHYDON/Rhydon ♂

Tierra
Roca

NV.82 (AL LLEGAR AL CAPÍTULO 184)

HABILIDAD: PARARRAYOS

NATURALEZA: AFABLE

POKÉMON QUE AZUL HA ENTRENADO DESDE CERO. LO ENCONTRÓ EN CIUDAD VERDE, AUNQUE DESPUÉS DE SU PROVECHOSA LECTURA DE "EL MISTERIO DE LA TIERRA" SU PODER SE HA HECHO MÁS FUERTE.

PORYGON2/Porygon2

Normal

NV.78 (AL LLEGAR AL CAPÍTULO 184)

HABILIDAD: RASTRO

NATURALEZA: RARA

LO RECIBIÓ COMO PREMIO EN EL CASINO DE AZULONA. DESDE ENTONCES SE CONVIRTIÓ EN UNO DE LOS COMPAÑEROS DE AZUL. SU ACTUACIÓN PUEDE SER VITAL EN SITUACIONES ESPECIALES.

CAPÍTULO 187

¡¡TÚ...!!
¡PERTENECÍAS AL ALTO MANDO DE KANTO! ¡EL PODER DE SUS MIEMBROS ERA SUPERIOR AL DE LOS MISMOS LÍDERES DE GIMNASIO!
¡¡LO-RE-LEI!!
DESAPARECISTE TRAS LA BATALLA EN ISLA CEREZA...
¡¿QUÉ HACES AQUÍ?!
CLAC
CLAC
COMO ACABO DE DECIROS...
...SOY DE ISLA QUARTA.
ES UN LUGAR HERMOSO Y AQUÍ LA NATURALEZA SE HA CONSERVADO INTACTA, LIBRE DE LA INFLUENCIA DE LA CIVILIZACIÓN.
PE-RO...
CLIC
HE OÍDO QUE HAY GENTE ACECHANDO POR LA ZONA.
CUANDO ME ENTERÉ...
FAH

FUUUM
CLAC
¡¡DECIDÍ VOLVER!!
NUNCA PENSÉ QUE NOS VOLVE-RÍAMOS A ENCON-TRAR.
¡¡CLOYS-TER!! ¡¡CLAVO CAÑÓN!!
BAM BAM
BAUM
BAM
BAM
BAM

BAUM
IM... ¡IMPRESIONANTE...!
BOOOM
NO ES QUE ME PREOCUPE QUIÉN SEA NUESTRO OPONENTE... PERO SABERLO FACILITARÍA LAS COSAS.
¡¡¿DECÍS QUE EN EL INTERIOR DE LA CUEVA GLACIADA SE OCULTA EL TEAM ROCKET?!!
BAM
ES ESO LO QUE HABÉIS DICHO ANTES,
¿NO?
...
BUF... YA VEO QUE ME CONSIDERÁIS VUESTRA ENEMIGA.
BRRRRRMM
¡¡NO PUEDES TENER MÁS RAZÓN!!
!!
ES NATURAL. NO IMPORTA...
NO OS PREOCUPÉIS, LO COMPROBARÉ POR MÍ MISMA...
RRRRRMMM
?!

POM
¡¿DE DÓNDE VIE-NE?!
CRAC
BOOOM
¡UAAAH!
BROOOM
¡OS SALUDA EL AUTOR DEL ATAQUE...!
¡¡CORTESÍA DEL TEAM ROCKET!!

RRRRR
CLANC
CLONC
UGH...
CLANC
CLONC
CLANC
¡ARGH!
POM
AAAH... MENUDOS ENCLENQUES. LOS POKÉMON HERIDOS EN COMBATE NO SIRVEN PARA NADA, NI ME MOLESTO EN RECOGERLOS...
PAF
BASURA INSERVIBLE...
FUIII
¡¡FUERA!!
SOLO CONSERVO LOS POKÉMON VALIOSOS.
¿A QUE SÍ, QUERIDO FORRETRESS? ♡

DE MOMENTO TODO VA SEGÚN EL PLAN...
HE CAPTURADO A ROJO Y AZUL, NACIDOS EN PUEBLO PALETA. QUÉ BONITA ESTAMPA.
¡AZUL!
¡Y ROJO!

FUOOOOOSH
¡¡PLANTA FEROZ!!
¡¡ANILLO ÍGNEO!!
ZIU
FRAASH
HUY, HUY, HUY.

SE ACABÓ EL JUEGO, CARR.
¡¡QUÉ ESPECTÁCULO MÁS MAGNÍFICO!!
¡¿PERO ERA UNA EXHIBICIÓN O TENÍAS INTENCIÓN DE ATACAR?!
¡TERMINA DE UNA VEZ!
E... ¡ENTENDIDO, SIRD!

¡¡NO ESTÁ SOLO!!

CARR, SI SIGUES JUGANDO CON ELLOS SE ESCAPARÁN A LA MÍNIMA OPORTUNIDAD... JE, JE...
¡ORM! ¡¿TÚ TAMPOCO CONFÍAS EN MÍ?!
NO ES ESO, PERO ES MEJOR ASEGURARSE.
TOMP
POR CIERTO...

NO ESTARÍA DE MÁS UNA PRESENTACIÓN...
PERTENECEMOS A LA UNIDAD SECRETA DEL TEAM ROCKET, LA LEAL GUARDIA PERSONAL DE NUESTRO JEFE.
SOMOS LAS TRES BESTIAS: ¡YO SOY SIRD!
¡AQUÍ, CARR!
¡Y YO ORM!

¡¿VUESTRO JEFE...?!
ES EL GRAN GIOVANNI, POR SUPUESTO.
GRR
¿QUÉ ESTÁIS TRAMANDO...?
¡¿QUÉ PIENSA HACER GIOVANNI CON ESE POKÉMON...?!
¡¡¿POR QUÉ NOS HABÉIS ATACADO?!! ¡¡¿QUÉ HABÉIS HECHO CON LOS PADRES DE VERDE?!!
¡¡RESPONDED DE UNA VEZ!!
¡BLEH!
GROAAAR
FAAH
¡¡UOOOOOH!!
¡¡ROJO, NO CARGUES TÚ SOLO!!
DASH

BOOOM
BAM
BAM
SSSSSH
¿YA ESTÁ...?
PUES SÍ QUE SE HA ACABADO PRONTO...

ESPERA...

DURANTE EL MOVIMIENTO EXPLOSIÓN...
...EL SLOWKING DE ESA CHICA HA UTILIZADO EXCAVAR...

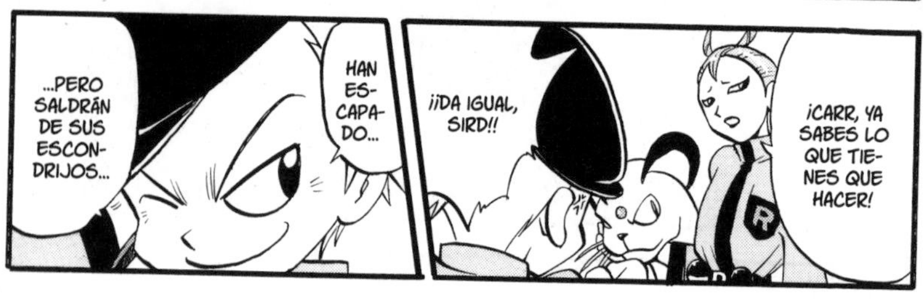
¡CARR, YA SABES LO QUE TIENES QUE HACER!
¡¡DA IGUAL, SIRD!!
HAN ESCAPADO...
...PERO SALDRÁN DE SUS ESCONDRIJOS...

ARF
BUF
AH
AGH
UF
ARF
AH

¿QUIÉN PUEDE VIVIR EN MEDIO DE ESTE HORROR ABARROTADO DE PELUCHES?
¡ES MI CASA! ¡¡¿ALGÚN PROBLEMA?!!

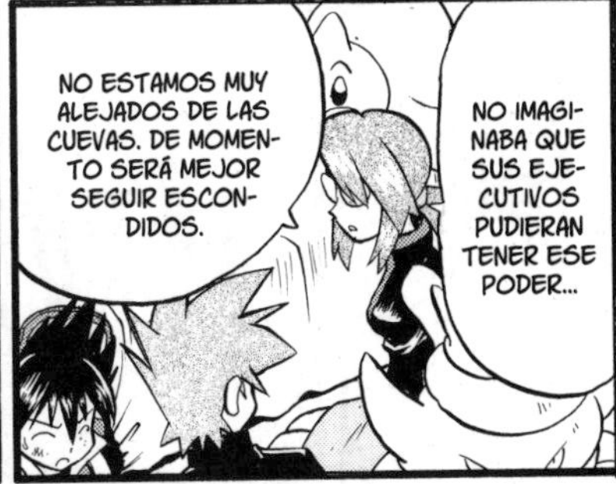
NO IMAGINABA QUE SUS EJECUTIVOS PUDIERAN TENER ESE PODER...
NO ESTAMOS MUY ALEJADOS DE LAS CUEVAS. DE MOMENTO SERÁ MEJOR SEGUIR ESCONDIDOS.

NO SALGÁIS HASTA QUE YO...
¡CU-CÚ!

¡¡SALUDOS DE LAS TRES BESTIAS DEL TEAM ROCKEEET!!
FAH
¡¡RETRANSMITIENDO PARA TODO ARCHI7!!

¡¡QUERIDOS HABITANTES, OS INFORMAMOS DE QUE VAMOS A LANZAR UN ATAQUE SIMULTÁNEO A VUESTRAS SIETE ISLAS!!
SE BUSCA
AZUL
ROJO
VERDE
¡¡SI QUERÉIS SALVAR ESTE MARAVILLOSO ENTORNO NATURAL SOLO TENÉIS QUE ENTREGAR A ROJO, AZUL Y VERDE, LOS ENTRENADORES DE PUEBLO PALETA!!

CAPÍTULO 188

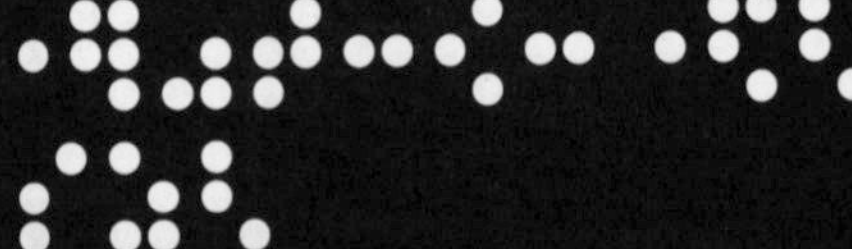

¡¡REPETIMOS!!
¡LAS TRES BESTIAS DEL TEAM ROCKET VAMOS A LANZAR UN ATAQUE SIMULTÁNEO...!

BRR
¡UH! LA ISLA ESTÁ TEMBLANDO...
¡¡¿QUÉ ESTARÁ OCURRIENDO?!!
BROOOOM
SHA
¡A VER!
!!

BROOOM BROOOM
PARA EMPEZAR...
¡¡YO, CARR, ME OCUPARÉ DE ISLA INTA!!
¡¡ORM, IRÁ A ISLA EXTA!!
¡¡LA ISLA SÉTIMA ES PARA SIRD!! ¡¡PREPARAOS PARA EL EPISODIO MÁS NEGRO QUE HAYA VIVIDO ARCHI7!!
¡SOLO TENÉIS QUE ENTREGAR A ROJO, AZUL Y VERDE...
...Y ABORTAREMOS EL ATAQUE!

¡¡YA SABÉIS, ENTREGADNOS INMEDIATA-MENTE A LOS TREEES!!
BRRRMM
BRRRMM

...
¡¡UN ATAQUE SIMULTÁNEO SOBRE TODO ARCHI7...!!
¡¡EL TEAM ROCKET ES CAPAZ!!
¡¡ESTÁN PONIENDO A LA GENTE CONTRA LA PARED...
...PARA ATRAPAROS A VOSOTROS Y A VERDE!!
¡¡PERO ¿POR QUÉ?!!
NO LO SÉ...
PERO ESTÁ CLARO QUE VAN A POR NOSOTROS. NO TIENE SENTIDO SEGUIR ESCONDIDOS.
SI ES ESO LO QUE QUIEREN, SALDRÉ.
YO... TAMBIÉN VOY.
ESPERA... AZUL.
UUUH...

¡ROJO!
¡LA EXPLOSIÓN DEL FORRETRESS TE HA ALCANZADO! NO CREO QUE...
NO PASA NADA...

LOS TRES SE VAN A REPARTIR ENTRE ISLA INTA, ISLA EXTA E ISLA SÉTIMA.
Y SOLO SOMOS TRES.

CIERTO.
SI ROJO VA A ISLA INTA Y AZUL A ISLA EXTA...

YO IRÉ A ISLA SÉTIMA...
¿QUE OS PARECE...?
LORELEI...
¡¡CONFIAMOS EN TI!!

BRRRRR
EL SURCAMAR PARECE UN TAXI, MÁS QUE UN BARCO...
¡NO ME DEJAN NI DORMIR!
CHOF CHOF
¿DECÍAS ALGO?
SHIIIN
¡¡!!
BU... BUENO COMO YA ESTAMOS A MEDIO CAMIN... EJEM.. N... NO... NADA... ENCANTADO DE PODER SERVIRLES, SEÑORES PASAJEROS... ¡¡JAJAJAJAJA!!
¡¡ROJO, ALLÍ ESTÁ!! ¡ISLA INTA!
¡A SU ABSOLUTA DISPOSICIÓN!
¡¡QUE ME PARTA UN RAYO!!
¡BIEN!
ZOOOM
¡ADELANTE!
ZAAM

BIEN...
EMPIEZA EL JUEGO...
¡¡MI ATAQUE ES TAN IMPRESIONANTE QUE HASTA YO ME MARAVILLO!!
¡¡BORRAREMOS DEL MAPA ESTA ISLA!!
FLOOOSH
¡¡DRAGOALIENTO!!
FLOSH
BOOOOM
¡¡JUA, JA, JA, JA, JA!!

¡¡EL LUGAR DE RECREO Y EL PILAR RECUERDO EN MEMORIA DE LOS POKÉMON FALLECI-DOS!!
¡¡TODO HECHO AÑICOS!!
BRRRMMM
¡UAAARGH!
AAARGH
UAAAH
UAAAH

ATACAR DESDE EL AIRE ES ABU-RRIDO, SE VE TODO TAN PEQUEÑO...
¿Y SI LAN-ZAMOS UN ATAQUE DIRECTO? ¡FORRE-TRESS!

¡VAMOS! ¡ACABA CON EL CENTRO POKÉ-MON!
BAAUM
¡¡EXPLO-SIÓN!!
FLASH
¡¡ARRÁ-SALO HASTA LOS CIMIEN-TOS!!

¿EEEH?
FFFH
FFFH
SI EX-PLOSIÓN NO HA FUNCIONA-DO, ¿DE DÓNDE SALE TO-DO ESTE HUMO?
¿QUÉ OCURRE, FORRE-TRESS?
¿DE NUEVO UTILIZANDO EXPLOSIÓN?
¡¡UTILIZAR DOS VECES EL MISMO MOVIMIENTO ES UNA MALA TÁCTICA!!

¡¿IBAS DETRÁS DE MÍ?!
NO SÉ QUÉ LE HAS HECHO A LA EXPLOSIÓN DE FORRETRESS,
PERO NO ME GUSTAN LOS METOMENTODOS...
¡¡DE HECHO SOLO CON VERTE ME PONGO ENFERMO!!
¡¿CONTINUARÁS CON TUS TRUQUITOS DESPUÉS DE PASAR POR EL ESTÓMAGO DE MI STEELIX?!
GROM
¡UAH, JA, JA, JA, JA! ¡¡ASÍ APRENDERÁS!!
BLURP
!!
BLURP

!!
GGGURG
¡¡HA SIDO POLI QUIEN HA NEUTRALIZADO EXPLOSIÓN!!
¡¡MI VALIOSO AMIGO ES CAPAZ DE ANULAR ESOS MOVIMIENTOS!!
¡¡PERO ADEMÁS...
...RESULTA HÁBIL EN EL CUERPO A CUERPO!!
¡¡TOMA ESO!!
¡¡PUÑO CERTERO!!
BAUUM

CRAASH
¡¡NO TE LO CONSENTI-RÉEE!!
N... N.. NOOO...
RRR
¡¡COLA FÉ-RREA!!
¡¡SI NO HA PODIDO EN-GULLIRTE, PROBA-REMOS A EMPA-LARTE!!
ZOOOM

¡CHAC!
¡¡¿HA... PARADO EL MOVIMIENTO?!!
ZUUUM
BUUUUM

¿TE PREGUNTAS POR QUÉ HAS PERDIDO?
AY, AY, AY... POR... ¿POR QUÉ...?
FUM

ANTES DE QUE LANZARAS COLA FÉRREA, POLI HA USADO TELÉPATA.
GLUP
ASÍ ES COMO HA AVERIGUADO CUÁL IBA A SER TU PRÓXIMO MOVIMIENTO.
¡¡ESTÁIS ATACANDO A PERSONAS INOCENTES...!!
¡¡PARAD DE UNA VEZ ESTA DESTRUCCIÓN!! ¡¿QUÉ QUERÉIS DE NOSOTROS?! ¡¿ES QUE SOMOS UN OBSTÁCULO EN VUESTROS PLANES?!
¡¡RESPONDE!!

N... NO... SI ES AL REVÉS...
?!
NADA DE OBSTÁCULOS...
¡¡MÁS BIEN SOIS IMPRESCINDIBLES

...PARA EL PLAN DEL SEÑOR GIOVANNI!!
OS ESTÁ USANDO DE CEBO PARA ATRAER A DEOXYS, EL POKÉMON ADN.
¡¡ESA ES LA RAZÓN POR LA CUAL DEBÍAMOS ATRAPAROS!!

ISLA EXTA.
BUUUF...
QUÉ DECEPCIÓN, AQUÍ NO HAY NADIE A LA ALTURA...
LOS DE EXTA...
...SON UNOS BLANDEN-GUES DE PRIMERA...
UH...
YUUH...

BUEEENO... ¿Y SI VOY HACIA BOSQUEJO Y CUEVA CAM-BIANTE?
EL INTERIOR DEL VALLE RUINAS TAM-BIÉN PUEDE ESTAR BIEN... JE, JE...
ZAAAH
¡UN MO-MEN-TO!

¡OH! ¡VIENES A ENTREGARTE TÚ MISMO! ¡ESTUPENDO!
FRAAAAS
¡¡CHARIZARD!!
¡¡LANZALLAMAS!!
FUOOOSH

BRRRRRMM
ZAH
?!
¿PIENSAS QUE VA A SER ASÍ DE SENCILLO CHAMUSCARME?
PLOP
PLOP
PLOP
PLOP
SHUCKLE SE ESCONDE DENTRO DE SU CAPARAZÓN. LOS MOVIMIENTOS DE TIPO FUEGO NO LO AFECTAN.
PLOP
PLOP
PLOP
PLOP
PLOP
Y ADE-MÁS...

PLOP
PLOP
PLOP
PLOP
FRAAAASH
CHUC
SHUWAA
CHUC
¡¡OH, NO!!
CHUC
¡¡ES TÓXICO!!

¡¡UGH... UUGH!!
PERO HOMBRE, NO ME PONGAS ESA CARA...
CLOC
CLOC
CLOC
CLOC
FLU FLU
SI EN REALIDAD ESTOS PEQUEÑINES SON ADORABLES...
TODAS LAS FORMAS DE VIDA ESTÁN EMPARENTADAS...
¡LA FAMILIA ES UN TESORO QUE HAY QUE CUIDAR!
¡TÚ TAMBIÉN TIENES FAMILIARES QUE SIGNIFICAN MUCHO PARA TI!
¡LO SÉ POR EL SEÑOR GIOVANNI!
WHH
WHH
VEAMOS CÓMO SE ENCUENTRA ESTE...
FUI

¡¡¿UTILIZARNOS COMO CEBO?!!
¡¡¿DEOXYS...?!!
¡SÍ! ¡¡EL POKÉMON QUE APARECIÓ EN EL *SURCAMAR*!!
¡¿PERO POR QUÉ ÍBAMOS A SER CAPACES DE ATRAER A DEOXYS?!

NO... ¡NO LO SÉ! ¡¡ES LO QUE HA DICHO EL JEFE!!

¡¡DEOXYS VA DETRÁS DE LOS PROPIETARIOS DE LA POKÉDEX DE PUEBLO PALETA!!
¡¡APARECERÁ DONDE SE REÚNAN ROJO, AZUL Y VERDE!!

- LUGAR DE NACIMIENTO: CIUDAD TRIGAL
- CUMPLEAÑOS: 31 DE DICIEMBRE
- GRUPO SANGUÍNEO: O
- OCUPACIÓN: DESARROLLO Y MANTENIMIENTO DEL SISTEMA DE TELETRANSPORTE, ANALISTA POKÉMON, MIEMBRO DE LA ASOCIACIÓN POKÉMON

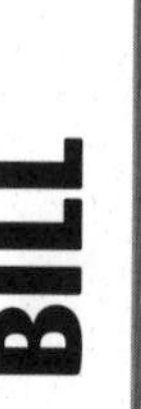

GRADUADO DE HONOR EN VARIAS INSTITUCIONES EDUCATIVAS A UNA TEMPRANA EDAD. POSEE UN COEFICIENTE INTELECTUAL ALTO Y FUE EL INVESTIGADOR PRINCIPAL EN LA CREACIÓN DEL SISTEMA DE TRANSFERENCIA.

INVESTIGA EN LA CASA DEL MAR DE CELESTE CON LA AYUDA DE DALIA, HERMANA DE AZUL. AHORA MISMO SE ESFUERZA POR AVERIGUAR LA VERDAD TRAS LOS EXTRAÑOS SUCESOS OCURRIDOS EN ARCHI7.

CAPÍTULO 189

¡¡SI QUERÉIS SALVAR ESTE MARAVILLOSO ENTORNO NATURAL SOLO TENÉIS QUE ENTREGAR A ROJO, AZUL Y VERDE, LOS ENTRENADORES DE PUEBLO PALETA!!
CENTRO DE RED POKÉMON EN ISLA PRIMA.
¡¡ES UNA EMISIÓN TAN INTENSA COMO PARA INTERRUMPIR LA SEÑAL DE TELEVISIÓN!!
SE BUSCA
¡¡ESTÁN TRANSMITIENDO EN TODAS LAS ISLAS!!

¡¡CELIO!!
¡RÁPIDO HAY QUE AVISAR A BILL...!
¡¡NO TENEMOS TIEMPO!!
¡¡ACABO DE DESCUBRIR QUÉ OCURRE CON EL SISTEMA DE TELETRANSPORTE...!!
¡AH! ¡POR FIN LO ENTIENDO!
¡¡LA INTERRUPCIÓN DEL SISTEMA DE TELETRANSPORTE POKÉMON Y LA INTERRUPCIÓN DE LA RETRANSMISIÓN TIENEN EL MISMO ORIGEN!!
¡¡Y DETRÁS DE AMBAS ESTÁ EL TEAM ROCKET!!

¡¿LOS CHICOS QUE TRAJISTE EL OTRO DÍA SON ESOS ENTRENADORES DE PUEBLO PALETA?!
S... ¡SÍ!

¡LA GENTE HA REACCIONADO AL ANUNCIO Y ESTÁ ASE-DIÁNDONOS!
¡¡EXIGE QUE LOS ENTREGUE-MOS!!

GRAAAR
¡¡ISLA INTA, ISLA EXTA, ISLA SÉ-TIMA!!
¡¡PARAD ESTA MA-SACRE!!
¡¡ANTES VIVÍA-MOS EN PAZ!!
¡¡SABEMOS QUE ESTÁN AHÍ!!
¡TODO TERMINARÁ SI LOS ENTREGA-MOS!
¡¡DEJAD DE ES-CONDER-LOS!!

BA
BA
TE...
TENGO... QUE IRME...
CLAC
CLAC

ISLA INTA.
¡¿ESE POKÉMON
SE LLAMA DEOXYS?!
¡¿Y SE VE ATRAÍDO POR LOS PROPIETARIOS DE LA POKÉDEX DE PUEBLO PALETA?!
¡¿QUE NOSOTROS ATRAEMOS A ESA CRIATURA?!
¡¿ES VERDAD ESO?!

UH... ¡SOCORRO! ¡AUXILIO!
UGGH...
¡¿EH?!
¡TENGO QUE ATENDER A LOS HERIDOS!
¡SAUR, NO DEJES QUE ESCAPE!
GGG
¡¿SE ENCUENTRA BIEN?! ¡YA HE CAPTURADO AL RESPONSABLE DEL ATAQUE!
¡¡TODO HA TERMINADO!!
¡¡SUELTA!!
PAF
¡¿QUE TODO HA TERMINADO?!
¡¡¿ESTÁS DE BROMA?!!

¡¡HE VISTO EL ANUNCIO!!
¡¡¿ACASO NO ES CULPA VUESTRA EL ATAQUE A ARCHI7?!!
¡¿Y QUÉ MÁS DA QUE HAYAS ATRAPADO A ESE TIPO?!
¡¡MIENTRAS SIGÁIS LIBRES NOS SEGUIRÁN ATACANDO!!
JIE JIE
YO...
¡¡OOOH!!
FLAP FLAP
¡EXCELENTE, ROJO!
TAH
¡¿Y AHORA QUÉ PASA, ENANO?!
¿EH? ¿ROJO?
POM

¿QUÉ
OCURRE,
ROJO?

PAF

¡¡FUE-
RA DE
AQUÍ!!
¡¡ESO!!
¡¡SOLO HA-
BÉIS TRAÍDO
LA RUINA A
ARCHI7!!
¡¡SAL DE
NUESTRA
TIERRA!!

¡EH,
EH, EH!
¡¡¿PERO
QUÉ
ESTÁIS
DICIEN-
DO?!!
¡¡ROJO HA
VENIDO A AYU-
DAROS!! ¡¡SE
HA ESTADO
ENTRENANDO
EXPRESA-
MENTE PARA
LUCHAR
POR
TODOS
VOSO-
TROS!!
¡¡POR SI NO LO
SABÍAIS ROJO TIENE
UNA POKÉDEX!! ¡¡SE
LA DIO UNA AUTORIDAD
EN POKÉMON, EL
MISMÍSIMO PRO-
FESOR OAK!!
¡¡ES UN
ENTRE-
NADOR
FUERA
DE SE-
RIE!!

¡PUES QUE NOS ENSEÑE LA POKÉ-DEX!
¡¡QUE ENSEÑE ESA PRUEBA DE QUE ES UN ENTRENADOR TAN EXCEP-CIONAL!!
...

AHORA...
...NO LA TENGO.

¡¡NO SOLO NOS HA TRAÍDO LA RUINA, TAMBIÉN ES UN MENTI-ROSO!!
¡¿QUÉ DICES?!
¡¡BILL!!

ESTÁ BIEN.
DÉJALO.

RO-JO...

BOOOOM
WOOOOOOOOH

CLAC
CLAC
?!
EL POKÉMON QUE SE VE ATRAÍDO POR LOS PROPIETARIOS...
BAUM
BAUM
...DE LA POKÉDEX, DEOXYS...
BAUM
NOSOTROS...
BAUM
BAUM
¡SOMOS EL CEBO PARA ATRAER A LA CRIATURA!
BAUM
BAUM

¡¡¿PERO QUÉ ESTÁS DICIENDO, ROJO?!!
BILL, NO SÉ POR QUÉ, PERO...
¡¡PUEDO SENTIR SU PRESENCIA!!
¡¡EL POKÉMON SE APROXIMA!!
SSSSSH
¡¡Y YO SOY EL QUE LO HA ATRAÍDO!!
BRRRRM
¡¡ESTÁ...
...AQUÍ!!

¡¡FENOMENAL!!
¡¡HA VENIDO!! ¡¡POR FIN HA VENIDO!!
¡¡¿ES DEOXYS?!!
¡¡EL DEOXYS REAL!! ¡¡ES LA PRIMERA VEZ QUE LO VEO!!
¡¡SU CUERPO ES MEDIO TRASLÚCIDO!!
¡¡ES TAL COMO LO REPRODUJO DITTO!!
SWOOOOOH
¡¡NO!! ¡¡ACABA DE CAMBIAR!!
AHORA S COMO ANDO LO MOS EN SCOPE SILPH!!

FUUUUUM
¡¡PIKA!!
¡AHORA!
¡¡RAYO!!
FMMMM
BZZZ

FRZSSH
¡¡HA CAMBIA-
DO DE
NUEVO!!
¡¡HA
ASUMIDO
OTRA
FORMA!!
GLUCS
ZAAAAAAH

FUOOOOSH

¡¡LA TEORÍA DE AZUL ERA CORREC-TA!!
¿ES QUE SON VARIOS ENEMIGOS? ¿O ES UN POKÉMON QUE HA EVOLUCIONADO? PUEDE... QUE SEA UN ENEMIGO CAPAZ DE CAMBIAR SU FORMA DEPENDIENDO DE LA SITUACIÓN DEL COMBATE...
¡¡CLARO!! ¡¡Y A ESO LO LLAMO...
...CAMBIO DE FORMA!!
¡¿CAMBIO DE FORMA?!
¡¡SOLO HAY UN ENEMIGO!! ¡¡ES UN POKÉMON ÚNICO QUE CAMBIA DE FORMA SEGÚN LA SITUACIÓN Y LA ESTRATEGIA!!

FLOOOOOOAH

¡¡VAMOS, PIKA, AERO!!
DASH
SHIIIIN
SHAAA
FUOH
SHUOOO
FUM

BA
AUM
BLUB
BLUB
SHIIN
BOM

¡¡SUS TENTÁCULOS HAN ADOPTADO LA FORMA DE LANZAS...!!
CHAC
POM
FUOOOH
¡¡AEROOO!!

¡¡LAX!!
FUI
FUI
POM

BAUM

¡¡NI SE HA INMUTADO!!
¡¡RETRO-CEDE, LAX!!

WOOON
¡¡CAMBIA CONSTANTEMENTE DE FORMA!!
¡¿QUÉ ESTRATEGIA PODRÍA SEGUIR CON UN ENEMIGO TAN FUERTE?!
¡SI AL MENOS... TUVIERA LA POKÉDEX...!
¡¡PERO NO LA TENGO...!!
¡¡TENDRÉ QUE PENSAR UNA ESTRATEGIA POR MÍ MISMO!!
¡¡GYARARA!!
POM
¡PIKA!
¡LA FORMA CON TENTÁCULOS PUNTIAGUDOS PARECE QUE TIENE UNA GRAN CAPACIDAD OFENSIVA!
¡ESA OTRA FORMA PEQUEÑA Y COMPACTA APARENTEMENTE TIENE UNA GRAN CAPACIDAD DEFENSIVA!
Y EN CUANTO A ESA FORMA COMO DE PUÑO TRASLÚCIDO, NO ESTOY SEGURO...
NO SOY CAPAZ DE DISTINGUIRLO.

¡OOOH! ¡¡QUÉ CAPACIDAD DE DISCERNIMIENTO!!
¡¡HASTA AQUÍ TODO CORRECTO...!!
POR CIERTO, SI TE PREGUNTAS POR EL NOMBRE DE ESOS ASPECTOS...
¡¡LA FORMA OFENSIVA SE LLAMA FORMA ATAQUE!!
¡¡LA DEFENSIVA, FORMA DEFENSA!!
DÉJAME CONSULTAR SUS DATOS... DEBERÍAN APARECER EN UN MOMENTO...
¡¡AJÁ!!
DATOS POKÉMON
Nº 386 DEOXYS
POKÉMON ADN
ALTURA 1,7 M
PESO 60,8 KG
DEOXYS PUEDE ADOPTAR UNA FORMA OFENSIVA. TAMBIÉN ES CAPAZ DE CAMBIAR A OTRAS FORMAS PARA CONFUNDIR A SU CONTRINCANTE.
¡¡OOOH!!
DATOS POKÉMON
Nº 386 DEOXYS
POKÉMON ADN
ALTURA 1,7 M
PESO 60,8 KG
CUANDO CAMBIA DE ASPECTO, EMITE UNA INTENSA LUZ. ABSORBE LOS EFECTOS DE LOS ATAQUES ALTERANDO SU ESTRUCTURA CELULAR.
¡¡YUJUUU!! ¡¿NO ES MARAVILLOSO?!
¡¡EL APARATITO ME CHIVA QUE NO HAY NINGÚN POKÉMON MÁS PODEROSO!!
POING
POING
ESE APARATO...
¡¡ES DE COLOR NEGRO, PERO EL ASPECTO Y EL FUNCIONAMIENTO...!!
¡¡SE PARECE A LA POKÉDEX!!

PERO EL SECRETO DEL CAMBIO DE FORMA
NO ACABA AQUÍ.

LA-LA-LA-LAAA OBSERVAR, OBSERVAR ES LO MÍOOO...

¡¡EH, TÚ!!
¡¿QUÉ HACES CON ESE APARATO?!

¡¡EL PROFESOR OAK...
...RECOGE LAS POKÉDEX A ROJO Y AZUL, Y LUEGO DESAPARECE!! ¡ME PARECE DEMASIADA CASUALIDAD!
¡¡ESPERA UN MOMENTO!!
¡UO-UOH...!
¡¡HABÉIS SIDO VOSOTROS!!
¡¿HABÉIS SECUESTRADO AL PROFESOR?!

ASÍ ES.
LOS QUE HEMOS SECUESTRADO AL PROFESOR...
SOMOS NOSOTROS, LAS TRES BESTIAS.

FA H
¡¡MA-CHAMP, SCI-ZOR!!
¡¡HACED TRIZAS A ESOS SHUCKLE!! ¡¡Y NO OS PREOCUPÉIS SI EL ATAQUE ME ALCANZA!!
NO TE ESFUER-CES.
¡¡ALIMA-ÑAS!!

¡¡GA-RRA ME-TAL!!
CHAC
¡¡¡HIPERRA-YO!!!
¡UF, UF, UF!
BAM BAM BAM
¡¡GUARG!!
FRAASH
LA FAMILIA SIGNIFICA MUCHO PARA TI, ¿VERDAD?
QUÉ RESOLU-CIÓN.

CHAC CHAC
BONITOS, BONITOS... QUÉ ADORABLES SOIS...
OS LLEVARÉ A PASEAR POR EL JARDÍN SI OS PORTÁIS BIEN...
FRIS
FRIS
PERO ESTOS SHUCKLE NO ESTÁN MENOS UNIDOS ENTRE SÍ.
¡¡AYAYAY!! ¡UA!
PE... ¡¡¿PERO QUÉ OCURRE?!!
¡¿UN TALADRO?!
BRRRR

¡¡NO PUEDES CONTROLAR A LA VEZ A TANTOS POKÉMON!!
¡¡SOLO DIRIGES UNO, Y ESE DA LAS INSTRUCCIONES A LOS OTROS, QUE EN REALIDAD SON SALVAJES!!
¡¡SI EL TUYO QUEDA FUERA DE COMBATE, EL CONTROL SE DESMORONA!!
BAUM

BAUM
BLOF
BAM

ARF
BUF
AGH

LOS MOVIMIENTOS DE SCIZOR Y MACHAMP SOLO BUSCABAN GUIARTE JUSTO AL LUGAR DONDE ESPERABA RHYDON.
NO TE HABÍAS DADO CUENTA.

¡EL PASEO POR EL JARDÍN TENDRÁ QUE SER EN TUS SUEÑOS!

ABUELO...
¿DÓNDE ESTÁS...?

EL INFIERNO SE HA DESATADO EN ISLA EXTA E ISLA SÉTIMA...

¿ESTARÁN BIEN ROJO, AZUL Y LA CHICA DE GAFAS...?
RIING
¿EH?

¡SOY YOOO!
U... ¡ÚLTIMA! ¡¿Y AHORA QUÉ PASA...?!
UAGH

¡¡TE LLAMO PARA PEDIRTE ALGO!!
¡¡¿PUEDES VENIR A BUSCARME EN EL SURCAMAR?!!
¡¡TENGO QUE IR A ISLA PRIMA!!
¡¿EEEH?! ¡¡¿YA ESTAMOS CON LAS EMERGENCIAS?!!

¡MÁS TE VALE VENIR AHORA MISMO! ¡Y A TODA VELOCIDAD!!

...

¡ABUELA...!

DURANTE NUESTRO APRENDIZAJE, YO HE HEREDADO EL MOVIMIENTO DEFINITIVO DE TIPO PLANTA...
Y AZUL HA APRENDIDO EL MOVIMIENTO DEFINITIVO DE TIPO FUEGO.
CIERTO.
ME PREGUNTABA POR EL BRAZALETE RESTANTE...
EN ÉL ESTÁ INSCRITO...
...EL MOVIMIENTO DEFINITIVO DE TIPO AGUA.
¡¿NO ES ASÍ?!
¡¿Y QUÉ NECESIDAD TIENES DE SABERLO?!
POR DITTO YA SABES LO QUE OCURRIÓ A BORDO DEL *SURCAMAR*.
HAY UNA CHICA LLAMADA VERDE QUE VINO CON NOSOTROS HASTA ARCHI7...
¡ES UNA ENTRENADORA PODEROSA QUE UTILIZA UN BLASTOISE!

¿ESTÁS DICIENDO QUE ESA CHICA ES UNA CANDIDATA ADECUADA PARA RECIBIR EL MOVIMIENTO DEFINITIVO?
AHORA SE ESTÁ RECUPERANDO EN ISLA PRIMA. ESTABA HERIDA Y SERÍA MEJOR QUE NO PARTICIPARA EN EL COMBATE.
QUEREMOS SOLUCIONARLO AZUL Y YO...

ESO ES LO QUE NOS GUSTARÍA...
PERO CONOCIÉNDOLA NO VA A ACEPTAR QUEDARSE AL MARGEN...

EL MOVIMIENTO DEFINITIVO DE TIPO PLANTA, PLANTA FEROZ...
TAP
EL MOVIMIENTO DEFINITIVO DE TIPO FUEGO, ANILLO ÍGNEO,
Y...

¡EL MOVIMIENTO DEFINITIVO DE TIPO AGUA... ¡¡HIDROCAÑÓN!!

CLAN
CLAN
CLAN
CLAN

SSSSSH
ES INCREÍBLE, NUNCA PENSÉ QUE LAS TRES PERSONAS QUE LAS HEREDA-RÍAN PUDIERAN APARECER A LA VEZ...
¿SERÁ UNA SEÑAL DE LOS CIELOS?

MIRA, PIKA, ARRIBA SE ARRE-MOLINAN NUBES...

¿PUEDES HACER-LO?

¡¡VAMOS, TRUENO!!
BROOM

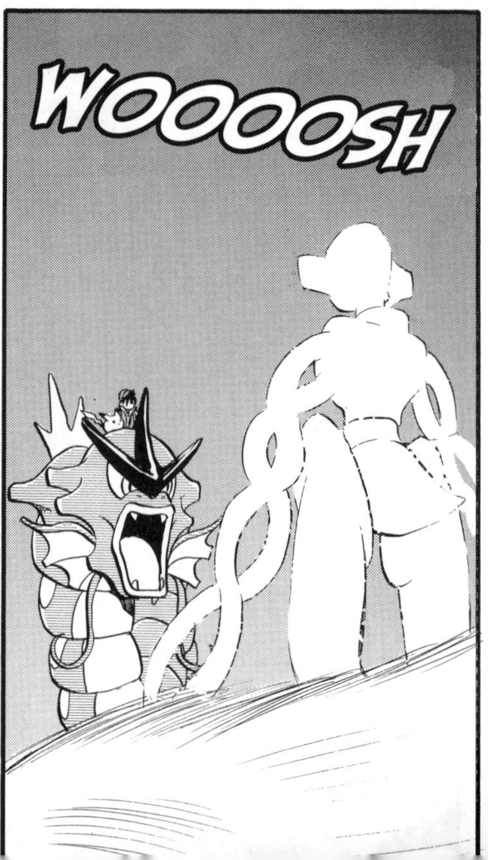
WOOOOSH

FUOOSH FUOOSH
¡¡LO HAS CONSEGUIDO, PIKA!! ¡¡JUSTO EN LA DIANA!!
¡¡LA ZONA CRISTALINA DEL PECHO DEBE DE SER EL CENTRO DE SU FUERZA VITAL!!
ZAH
¡¡PARECE QUE YA NO PUEDE CAMBIAR DE FORMA!!

FRRRZZ

FUOOOOSH

WOOOSH
¡OOOH! ¡ESTÁ USANDO RECUPERACIÓN!
AGH
ARF
¡¡SE REPONDRÁ DE UN MOMENTO A OTRO!!
¡PIKA, OTRA VEZ! ¡USA TRUENO Y APUNTA A LA ZONA CRISTALINA DEL PECHO!
FIU FIU

BUM BUM
INTERESANTE... DEOXYS HA UTILIZADO PRESIÓN...
...Y PIKACHU YA NO PUEDE UTILIZAR TRUENO.

¡¡OOOH!!
¡¡¡ES UN PODER DE 140!!!
¡¡EL MOVIMIENTO MÁS ANIQUILADOR...!!
FUOOOOSH
¡¡PSICOATAQUE!!
BAAAAUM
CLAC
OBSERVACIÓN COMPLETADA...

POKéMON
ROJO FUEGO Y VERDE HOJA

CAPÍTULO 190

BAAAAAUM
¡¡ROYOOO!!
DASH
CRAAAC

FRAAASH
FR
RR
ZZ
ZZ

POM

ISLA SÉTI-MA.
BAM
BAM
BAM
BAM

!!
¡ESE RESPLANDOR VENÍA DE ISLA INTA!
¡¿QUÉ CLASE DE COMBATE PUEDE...?!
¡YO QUE TÚ PONDRÍA ALGO MÁS DE ATENCIÓN!
¡¡UGH!!
ZAAAS
¡¡TEAM ROCKET!!
¡POM!
¡¡NO VOY A PERMITIR QUE CAMPÉIS A VUESTRAS ANCHAS POR ARCHI7, MI TIERRA!!
¡¡BASTA DE ATAQUES SIN SENTIDO...
CLAAAN
BOM
...Y VOLVED POR DONDE HABÉIS VENIDO!!

CLARO...
UH...
UH...
ERES MIEMBRO DEL ALTO MANDO. EL GRUPO DE LOS ENTRENADORES MÁS FUERTES DE KANTO.
YA VEO QUE ESTO VA A SER MÁS LARGO DE LO QUE PENSABA.
JU, JU... ME LO ESPERABA, ASÍ QUE TENGO PREPARADA UNA TRAMPA.
U... ¡¿UNA TRAMPA?!
ESO ES... HEMOS RESUELTO EL ENIGMA...
CHAC
...DE LA LLAVE SETE.
BRRRR
¡¿HABÉIS RESUELTO EL ENIGMA MILENARIO...?!
¿HABÉIS ABIERTO LAS SIETE CÁMARAS...?
ASÍ ES. LAS SIETE CÁMARAS REPARTIDAS...
...POR LAS ANTIGUAS RUINAS DE ARCHI7.
BRRR

CÁMARA PASIETE...
BRRRR
CÁMARA SEIRIS...
CÁMARA HIBINCA...
BRRRR
CÁMARA QUARCISO...
BRRRR
CÁMARA TRISANTE...
BRRRR
CÁMARA TULIPDOS...
BRRRR
CÁMARA ANÉMUNA...
TODO EL MUNDO SE PREGUNTABA QUÉ MISTERIOS GUARDABAN, YA QUE NADIE HA SIDO CAPAZ DE PENETRAR EN ELLAS...
BRRR
BRRRM
PERO NOSOTROS...
HEMOS...
SHIIN
DESVELADO EL MISTERIO...
BROOOOM
FOAAAAAH

!!!
BRROOOOM
ZAAH
BAUM
BAM
¡¡KYAAAH!!
BAM
BAUM
SLO... ¡¡SLOW-KING!!

POM
¡ES UN ENIGMA DESDE LA MÁS RE-MOTA ANTIGÜEDAD! ¡NO ENTIENDO CÓMO EL TEAM ROCKET HA LOGRADO RESOLVER EL ENIGMA DE LA LLAVE SETE!
¡PERO NO PIENSO AMEDREN-TARME POR ELLO!
¡¡CLOYS-TER!!
ZU
ZU
ZU
¡¡¡CONTRA-ATAQUE SIMULTÁ-NEO!!!
¡¡¡CLA-VO CA-ÑÓN!!!
BOM
BOM
BOM
BOM
BOM
BOM

BAUM
¡UOPS!
BAM
BAM
JU, JU... BRAVO.
BAM
BOM
BOM
LO CIER-TO ES QUE...
PARA NADA.
PUES NO...
TOMP
¿QUÉ?
AH
¿MEN-TALIZADA PARA RENDIR-TE?
ARF
ARGH
BOM
BOM
BOM
...ESTO ES UN JAQUE MATE...
ZZZMMM

¡EL NÚCLEO DE STARMIE! ¡¡¿PERO CUÁNDO...?!!
FRAASH
¡¡CLOYSTER, CIERRA TU CONCHA!!
ZAM
FUUUUM
CA...
CAMUFLAJE...
AH... TENGO QUE RECONOCER QUE SABES LO QUE HACES.
TU CLOYSTER ES EL MIEMBRO MÁS FUERTE DE TU EQUIPO.
POM

MIENTRAS TE DISTRAÍA CON LOS UNOWN, STARMIE REPTABA ENTRE LAS ROCAS SIN QUE TE DIERAS CUENTA.
POR ESO LO HE PREPARADO TODO PARA QUE EL COMBATE FUERA EN ESTE TERRENO ROCOSO. HE APROVECHADO PARA TRANSFORMAR A STARMIE UTILIZANDO CAMUFLAJE.
NI UNA BOMBA DE NAPALM PUEDE ATRAVESAR SU CONCHA. Y CLAVO CAÑÓN LE PERMITE ALCANZAR A MÚLTIPLES ADVERSARIOS A LA VEZ.

HAS EMPLEADO TODOS ESO UNOWN...
...SOLO PARA DISTRAERME...
UNA TÁCTICA DE...
...COBARDES...
¿COBARDES?
PERTENECIENDO AL TEAM ROCKET LO TOMARÉ COMO UNA ALABANZA.
CHAC
JEFE...
¿CÓMO ESTÁN LAS COSAS POR ALLÍ?
ACABO DE TERMINAR DE PULIR LAS PIEDRAS.

GRACIAS A VUESTRA INTERVENCIÓN HE GANADO UN TIEMPO PRECIOSO.
GRACIAS, SIRD.
AL CONTRARIO, GRACIAS A USTED. LO MÍO ES VOCACIONAL.
JU, JU...
LA ACTUACIÓN DE CARR EN ISLA INTA TAMBIÉN HA SIDO SATISFACTORIA.

DEOXYS SE HA DEJADO VER. APARTE DE SU FORMA ESTÁNDAR...

...HEMOS PODIDO COMPROBAR QUE TAMBIÉN CAMBIA DE FORMA CUANDO ATACA Y CUANDO SE DEFIENDE.

TAL COMO HABÍA ANTICIPADO, JEFE.
Y CON LAS DOS PIEDRAS GENERADAS A PARTIR DE ENERGÍA...
PODREMOS LOGRAR QUE CAMBIE AL RESTO DE LAS FORMAS QUE AÚN NO HA ADOPTADO.

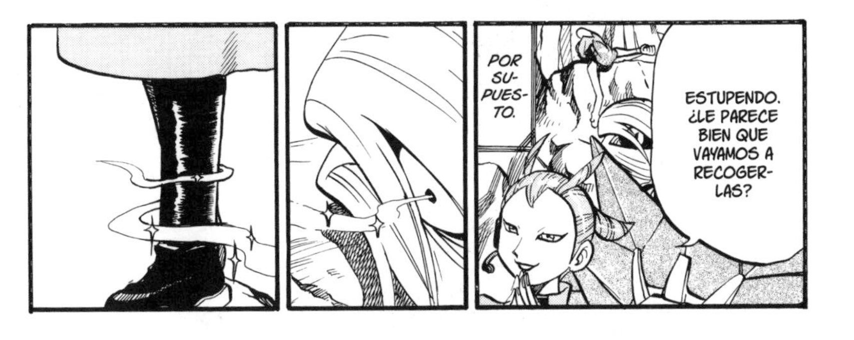
ESTUPENDO. ¿LE PARECE BIEN QUE VAYAMOS A RECOGER-LAS?
POR SU-PUES-TO.

AH
BUF
ARF

ISLA PRIMA.
BUF
AH
ARF
ARGH

FLASH
!!!

¡¡AHÍ ES-TÁAA!!
¡¡LA ENTRENA-DORA DE PUEBLO PALE-TAAA!!

¡¡QUE SE ESCAPAAA!!
¡¡ID TRAS ELLA!!

BUF
ARF
DASH
AGH

BUF
AGH
BUF
AH
ARF
AH, ARF... YA NO TIENES ESCAPATORIA...
BUF
AH
SPLASH
SPLASH
SPLASH
SPLASH
¡GUAARG!
¡¡UOOOOH!!
SPLASH
SPLASH

SPLAAAAAASH
SURCAM
QUE... ¡¡QUE SE ESTRE-LLAAA!!
¡¡AGÁRRA-TEEE!!
CHAC
¡¡AH!!
ZUUUUM
¡¡¿ADÓN-DE TE CREES QUE VAS?!!
¡¡TE TEN-GO!!
ÑUC

¡¡KIAAAH!!
ÑUC
ÑUC
ÑUC
CHAC
¡¡GGRRR!!
¡¡UAAAH!!
¡¡AAAU!!
¡¡GGGGGG!!
B
AM
¡¡UAAGH!!
PUM
¡¡¿PERO QUÉ DEMONIOS...?!!
PAF
¡¡VERDE, HUYE!!
POM
POM
¡¡RÁPIDO!!
¡UUF!
¡CHUG!
¡ESPERA!

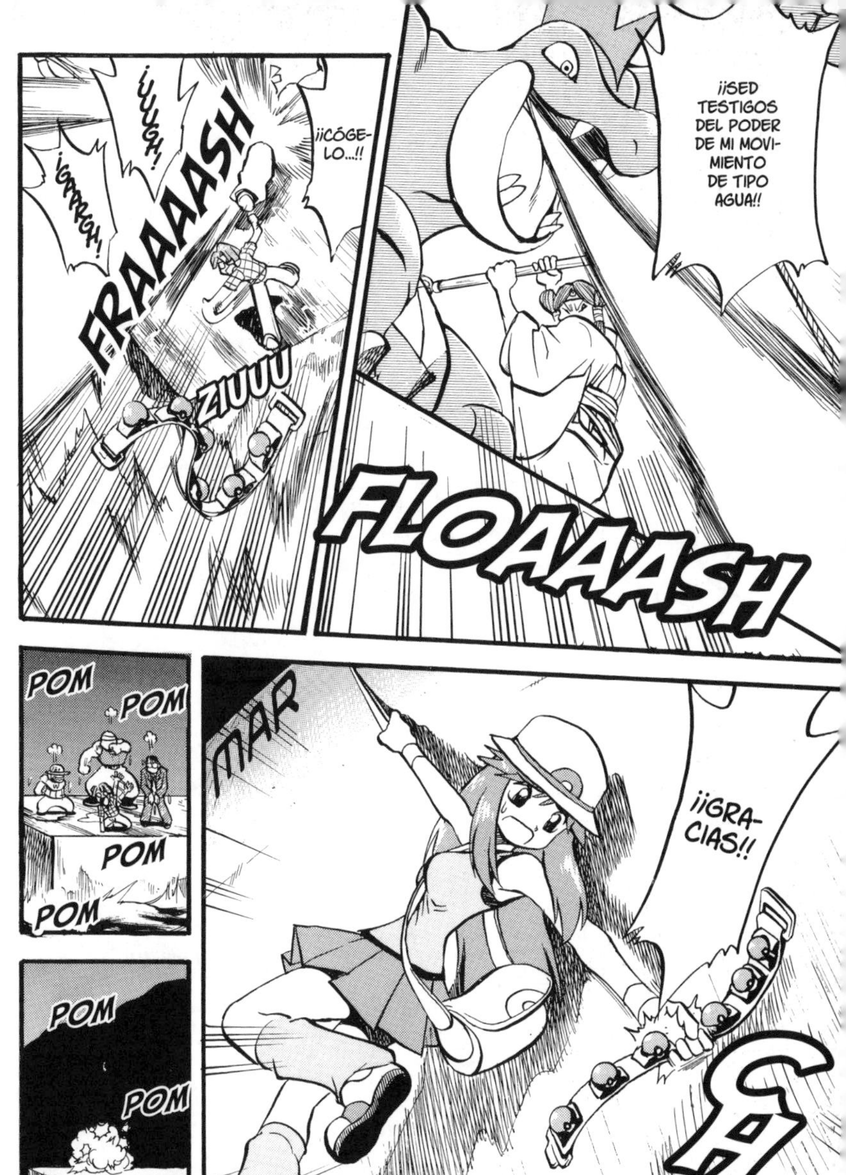
¡¡SED TESTIGOS DEL PODER DE MI MOVI- MIENTO DE TIPO AGUA!!
FLOAAAASH
¡¡CÓGE- LO...!!
¡UUUGH!
¡GAARRGH!
FRAAAASH
ZIUUU
MAR
¡¡GRA- CIAS!!
CHAC
POM
POM
POM
POM

POM
POM
POM

NO TENGO NINGUNA PISTA DE DÓNDE PUEDE ESTAR EL ABUELO.
PUEDE QUE ROJO HAYA AVERIGUADO ALGO.

¡RÁPIDO, CHARIZARD!
¡A ISLA INTA!

¿UH?
ESE ES EL SURCAMAR.
Y SE DIRIGE A ISLA INTA.
DESCENDAMOS.
FLAP
FLAP
FUOOOH
SURC

ZUASH
¡¡AZUL!!
UGH...
ADOP-
DO UNA
NUEVA
ORMA...

POM
!!!

¡UOOOH!!
FAAAAM

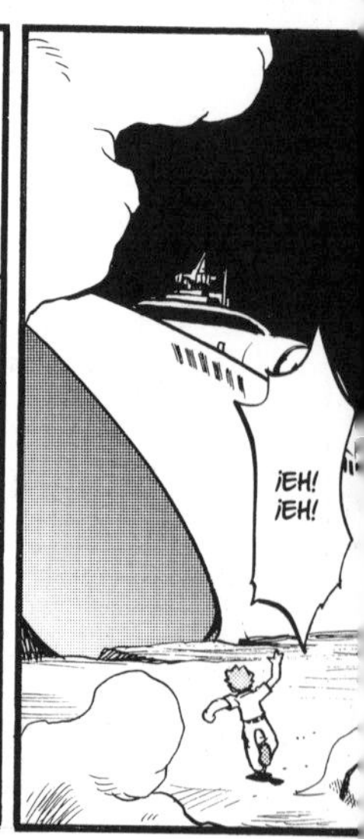
¡EH! ¡EH!

¡¡AQUÍ, AQUÍ!!
¡¡VE-NID!!

ES...
¡¡ROJO!!

AZUL...
OH, VERDE, TAMBIÉN HA VENIDO...
...
¿HAS COMBATIDO CON ESE POKÉMON?
HMPH
PERO...
...MI PODER NO FUE SUFICIENTE.

HEMOS...
...PERDIDO.

ÚLTIMA

- LUGAR DE NACIMIENTO: ISLA SECUNDA, CABO EXTREMO
- CUMPLEAÑOS: 2 DE FEBRERO
- GRUPO SANGUÍNEO: B
- OCUPACIÓN: GUARDIANA DE LOS MOVIMIENTOS DEFINITIVOS
- AFICIONES: PENSAR EN NUEVAS TRAMPAS PARA EL ENTRENAMIENTO INTENSIVO EN LOS PASILLOS DE SU CASA, HACER TURISMO
- FAMILIA: PARECE QUE LLEGÓ A ESTAR CASADA

ANCIANA QUE VIVE EN SECUNDA Y ES GUARDIANA DEL SECRETO DE LOS MOVIMIENTOS DEFINITIVOS DE TIPO PLANTA, AGUA Y FUEGO, PLANTA FEROZ, HIDROCAÑÓN Y ANILLO ÍGNEO, RESPECTIVAMENTE. ÚLTIMA SOLO LOS ENSEÑA A AQUELLOS CANDIDATOS QUE CONSIDERA SUFICIENTEMENTE PODEROSOS. SUS SECRETOS ESTÁN INSCRITOS EN LOS BRAZALETES. UNA VEZ EXTRAÍDOS LOS POKÉMON ADQUIEREN DICHAS CAPACIDADES. SE DICE QUE ESTE TIPO DE BRAZALETES HAN EXISTIDO DESDE LA ANTIGÜEDAD Y QUE SU FUNCIONAMIENTO HA SERVIDO DE MODELO PARA DESARROLLAR LAS MO (MÁQUINAS OCULTAS) Y MT (MÁQUINAS TÉCNICAS).

CAPÍTULO 191

CREPT

...
PARA RESUMIR, A VER SI TE ENTIENDO, BILL...
EN ISLA EXTA E ISLA SÉTIMA...
EL ATAQUE DEL TEAM ROCKET REDUJO A CENIZAS ISLA INTA EN UN RADIO DE DOS KILÓMETROS ALREDEDOR DEL CENTRO POKÉMON. NO QUEDA NADA EN PIE...
Y VAMOS CON LOS DAÑOS EN CADA ISLA.

EL RASGO FUNDAMENTAL DEL ENEMIGO ES SU CAPACIDAD PARA CAMBIAR DE FORMA.
APARTE DE LAS DOS QUE YA CONOCEMOS...
PIFFF PIFFF
...ACABA DE ADOPTAR OTRAS DOS.

EN TOTAL LO HEMOS OBSERVADO EN CUATRO FORMAS DISTINTAS.

SÍ.
Y...
PERO EL MÉTODO QUE HAN UTILIZADO PARA PROVOCAR EL CAMBIO DE FORMA HA SIDO ESPECIALMENTE SINIESTRO.
HA SIDO DESPUÉS DE ESE MOVIMIENTO ANIQUILADOR...
OBSERVACIÓN COMPLETADA...
BAAAAAUM
JUSTO DESPUÉS DE QUE ROJO RECIBIERA EL IMPACTO DEL MOVIMIENTO DE DEOXYS.
ENTONCES HA LLEGADO SIRD.
UNA DE LAS TRES BESTIAS...
...AUNQUE CREÍAMOS QUE ESTABA COMBATIENDO CON LORELEI...

¡SI ESTÁS AQUÍ, ESO QUIERE DECIR QUE...
...LORELEI HA SIDO DERRO-TADA!
NO LO LLAMARÍA COMBA-TE...
JU... JU, JU, JU...
¿UH?
CARR, ROJO SIGUE EN PIE, ¿QUÉ ES ESTO?
JUA...
¿QUÉ HA SIDO ESO DE "OBSERVACIÓN COMPLETADA"? ¿VAS A TOMARTE EN SE-RIO LA MISIÓN?
CUANDO HAYAMOS OBSER-VADO LA ÚLTIMA FORMA REGRE-SAREMOS A ISLA SÉTIMA.
FWOOSH
?!!!

SHUUUUUUN
FUOOOOOOH
SSSSSSSH

¡EXCELENTE! ¡HA CAMBIADO A SU FORMA NORMAL!
OOOH
JU, JU, JU, JU...
¡LAS PIEDRAS ROJA Y AZUL!
¡¡¡RUBÍ Y ZAFIRO!!!
ZU ZU
¡¡EL CLIMA DE HOENN SE DEBE A SU PODER!!
¡¡AHORA LAS UTILIZAREMOS PARA INVOCAR LA CUARTA FORMA DE DEOXYS!!
FUM FUM FUM FUM

NOOOOOO
OOOOSH

SHIIIN
FOOOOM

FAAASH
¡¡ES UN ÉXITO!! ¡HA ADOPTADO LA FORMA QUE MAXIMIZA LA VELOCIDAD!
¡¡LA ORMA ELOCI- DAD!!

ESA DEBE DE SER
LA FORMA QUE DIVISÉ CUANDO SOBREVOLABA EL MAR.
PROBABLEMENTE.

Y SIRD Y CARR HAN DESAPARECIDO...
ME HA PARECIDO QUE IBAN TRAS DEOXYS.

...

ROJO COMBATÍA A CARR EN ISLA INTA, AZUL A ORM EN ISLA EXTA, LORELEI A SIRD EN ISLA SÉTIMA... PERO SOLO HA VENCIDO AZUL.
Y PARA COLMO NOS ENFRENTAMOS A UN ENEMIGO QUE CAMBIA CONTINUAMENTE DE FORMA. VENCER EN ESTAS CONDICIONES PARECE IMPOSIBLE.

NO SEAMOS TAN PESIMISTAS.
RECUERDO OTROS ENEMIGOS QUE TAMBIÉN ERAN DEMASIADO PODEROSOS, RESISTENTES O VELOCES.

DEBEN DE HABER VUELTO A SU GUARIDA SECRETA EN ISLA SÉTIMA. ESTOY PREOCUPADO POR LORELEI, PERO LO MÁS SEGURO SERÍA IR A BUSCARLA O CONTRAATACAR DE DÍA.
¡ROJO, ¿QUÉ TE PARECE SI VAMOS A ISLA SÉTIMA AL AMANECER?!

¡¿QUÉ PASA, ROJO?!

¿QUE NO SEAMOS TAN PESI-MISTAS?
A TI TE PARECE TAN SEN-CILLO...

¿QUÉ QUIERES DECIR?
¡¿QUÉ HAS DI-CHO?!
FAH
¡¡AL FIN Y AL CABO HE SIDO YO QUIEN SE HA ENFREN-TADO A ESA COSA!!
PAH

YA LO VERÁS POR TI MISMO CUANDO COMBATAS CON ÉL.
EL PODER DE ESA CRIATURA ES ATERRADOR..
SÉ QUE HA SIDO DURO, PERO ES QUE HAS COMBATIDO SOLO. ¡¡LA PRÓXIMA VEZ UNIREMOS NUESTRAS FUERZAS!!
¡¡NO SERVIRÁ DE NADA!!
DA IGUAL QUE LO COMBATAMOS TODOS JUNTOS...
¡¡NO PODEMOS GANAR!! ¡¡SOLO CONSEGUIREMOS QUE AUMENTE EL NÚMERO DE VÍCTIMAS!!
¿DESDE CUÁNDO... ERES UN COBARDE?
MUY BIEN, COMO QUIERAS...
ESTÁ BIEN, SOY UN COBARDE.

JU, JU...
QUIZÁ FUE POR ESO QUE EL PROFESOR ME PIDIÓ QUE LE DEVOLVIERA LA POKÉDEX...
!!!

HE ESTADO PENSADO EN LA RAZÓN POR LA QUE EL PROFESOR OAK NOS HA QUITADO LAS POKÉDEX...
NOS HEMOS VUELTO COMPLETAMENTE DEPENDIENTES DE ELLAS. DE PRONTO ME DI CUENTA DE ELLO.
HEMOS CONFIADO TANTO EN LAS POKÉDEX QUE YA NO SABEMOS COMBATIR SIN ELLAS.
Y QUIENES NOS RODEAN HAN CONTRIBUIDO A ELLO.
¡¡POR SI NO LO SABÍAIS, ROJO TIENE UNA POKÉDEX!! ¡¡SE LA DIO UNA AUTORIDAD EN POKÉMON, EL MISMÍSIMO PROFESOR OAK!!
¡¡ES UN ENTRENADOR FUERA DE SERIE!!
SE NOS RECONOCÍA COMO GRANDES ENTRENADORES SIMPLEMENTE POR SER PROPIETARIOS DE POKÉDEX.
HOY ES EL DÍA DE ENCONTRARSE CON FAMOSOS.
BRMMM

PERO AHORA QUE NO TENEMOS POKÉDEX...
...LA GENTE NOS TRATA COMO APESTADOS.

TODA MI CONFIANZA HA DESAPARECIDO JUNTO CON ELLA.
EL PROFESOR DEBE DE HABERSE DADO CUENTA DE MI DEBILIDAD.
¡¡SIN LA POKÉDEX SOY INÚTIL COMO ENTRENADOR!!

DASH
ES... ¡¡ESPERA, ROJO!!
¡¡DÉJALO EN PAZ!!

¿NO VAS TRAS ÉL?
¡¡CON ESA ACTITUD NO HARÁ MÁS QUE ESTORBAR!!

PERO ESA CHICA, VERDE, HA IDO TRAS ÉL.

OLVIDAOS DE ELLOS.
TENEMOS QUE DISCUTIR LA ESTRATEGIA.

HE DESCUBIERTO ALGO.
ROJO ESTABA LLORIQUEANDO Y QUEJÁNDOSE DEL PROFESOR OAK POR HABERLE QUITADO LA POKÉDEX.
¡¡PERO MI ABUELO HA SIDO SECUESTRADO POR EL TEAM ROCKET!!

EN EL CORAZÓN DE ISLA INTA.

ZAH

UH, JU, JU, JU...
¡NI EN SUEÑOS ADIVINARÍAN QUE TODAVÍA ESTAMOS EN ISLA INTA!

JU, JU... ¡AÚN NOS QUEDA MUCHO TRABAJO POR HACER...
...EN EL ALMACÉN ROCKET!

LA CONTRASEÑA...
PIP
¡EJECUTA CON EXEGGCUTE!
JU JU
QUÉ BRUTO ES KABUTO.

BIEN...

CLAC CLAC
Y EL PARADERO DE DEOXYS...

FUOOOAAAAAAA
SHIIN

CÁMARA 1
COMO PENSABA, AHÍ ESTÁ.

PIP
JEFE, AQUÍ SIRD.

PARECE QUE DEOXYS HA VUELTO...
FUOOSH
...A ISLA DE ORIGEN.
ZIIH

BRRRR

CLAAAC
CHAAAC

HA ENTRADO EN EL DELTA NEGRO.

PROBABLEMENTE ESTÁ DÉBIL Y NECESITA RECUPERARSE.

HA VENCIDO A ROJO, PERO SU MOVIMIENTO TRUENO LE HA DADO DE LLENO EN LA ZONA CRISTALINA DEL PECHO. PROBABLEMENTE ESTÉ HECHA AÑICOS.

DEOXYS HA RECIBIDO UN DAÑO CONSIDERABLE.
YA VEO.

DEJADLO DONDE ESTÁ.
BUEN TRABAJO, SIRD Y CARR.

NO LO PERDÁIS DE VISTA.
SÍ, SEÑOR.
?

¿QUÉ HACE AQUÍ ESTA FOTO?
¿SE LE HABRÁ CAÍDO A ALGUIEN?
!!

PARECE EL JEFE DE JOVEN.
PERO...

¿A QUIÉN LLEVA EN BRAZOS?
¿QUIÉN ES ESTE CHICO DE PELO ROJO?

PRONTO...
MUY PRONTO NOS ENCONTRAREMOS...

...HIJO MÍO.

VERDE

FUE RAPTADA POR EL HOMBRE ENMASCARADO CUANDO ERA PEQUEÑA Y CRIADA COMO UNO DE LOS NIÑOS ENMASCARADOS. DESPUÉS DE HUIR DE SU FORZADO ENTRENAMIENTO CONOCIÓ A ROJO Y AZUL, CON LOS QUE VIVIÓ MUCHAS AVENTURAS COMO ENTRENADORA DE PUEBLO PALETA. TODAVÍA LE UNE UNA RELACIÓN FRATERNAL CON PLATA. EN EL COMBATE PLANIFICA AL DETALLE ESTRATEGIAS CON ARGUCIAS Y SE DIVIERTE DEJANDO PERPLEJO AL ADVERSARIO. TIENE UN CARÁCTER ALEGRE Y DESCARADO, PERO HA QUEDADO PROFUNDAMENTE TRAUMATIZADA AL SER TESTIGO DE CÓMO DEOXYS RAPTABA A SUS PADRES.

- LUGAR DE NACIMIENTO: PUEBLO PALETA
- CUMPLEAÑOS: 1 DE JUNIO
- GRUPO SANGUÍNEO: B
- EDAD: 16 AÑOS (EN ESTA SAGA)
- PREMIOS: TERCERA POSICIÓN EN LA NOVENA EDICIÓN DE LA LIGA POKÉMON
- HABILIDADES ESPECIALES: DISFRAZ, MODIFICACIÓN DE MECANISMOS, INVENCIÓN, ETC.
- CONOCIMIENTOS: ES ESPECIALISTA EN TODO LO RELACIONADO CON LA EVOLUCIÓN POKÉMON
- AFICIÓN: COLECCIONA ACCESORIOS (ESPECIALMENTE PENDIENTES) Y ZAPATOS BONITOS

CAPÍTULO 192

¿Y ESTA FOTO?
ES EL JEFE DE JOVEN LLEVANDO EN BRAZOS A UN CHICO PELIRROJO.
¡¿SERÁ SU HIJO?!

AHORA RECUERDO HABER OÍDO UN COTILLEO DENTRO DEL TEAM ROCKET.
QUE TUVO UN HIJO, PERO OCURRIÓ ALGÚN ACCIDENTE Y DESAPARECIÓ.

CUANDO DEOXYS HAYA DESPERTADO POR COMPLETO...
...TENDRÁ UNOS ENORMES PODERES PSÍQUICOS...

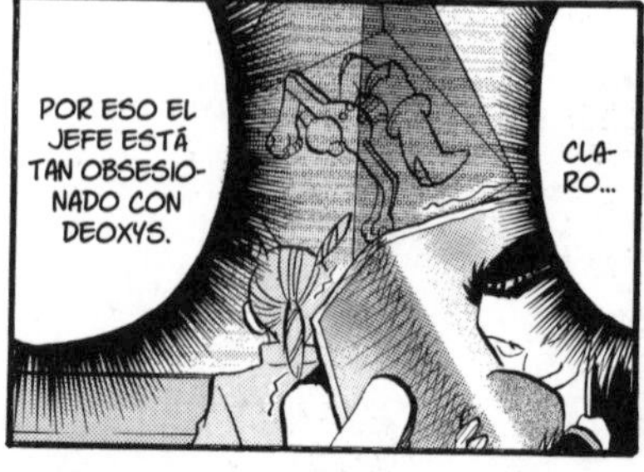
CLARO...
POR ESO EL JEFE ESTÁ TAN OBSESIONADO CON DEOXYS.

¡¡QUIERE UTILIZAR SU PODER...
FUUUASH
...PARA ENCONTRAR A SU HIJO!!

VAMOS ALLÁ.
ZUUM
AL LUGAR DONDE DUERME DEOXYS, ¡¡LA ISLA ORIGEN!!

PUUUM
¡UGH!

LO
SIENTO...
AERO.
TE HA
ATRAVESADO
LAS ALAS Y
ESTÁS SU-
FRIENDO...
GYARA, HAS
ABSORBIDO
EL IMPACTO
POR MÍ.
POLI, SAUR...
DEBE DE
HABEROS
DOLIDO MU-
CHÍSIMO.

LO
SIENTO...
DE VERDAD...
DE VERDAD
QUE LO
SIENTO...

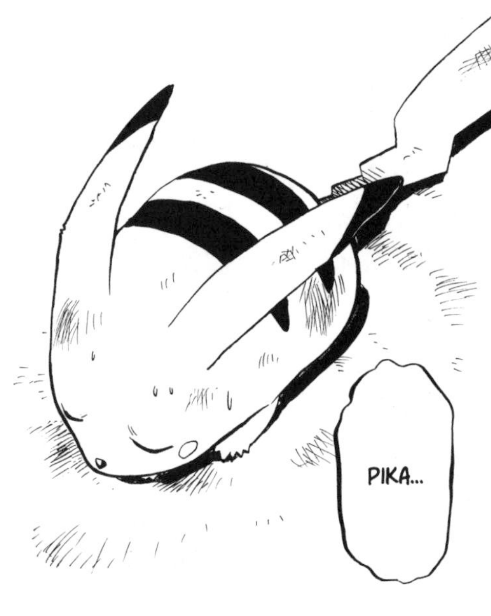
PIKA...

HAS COMBATIDO
CON VALENTÍA Y HAS
LOGRADO ACERTAR
DE LLENO ALCAN-
ZANDO A NUESTRO
ADVERSARIO CON
TRUENO...
PERO ES
CULPA MÍA
QUE ES-
TÉS ASÍ...

¡PERDÓNAME!
¡PERDÓNAME...! ¡LO SIENTO!
FLUC
FLUC
¿VERDE...?
¿HAS VENIDO PARA TORTURARME...
...POR HABER DEJADO EL COMBATE...?
FUUUH

NO. HE VENIDO A DARTE LAS GRACIAS.
GRACIAS, ROJO.

AZUL Y ÚLTIMA ME LO HAN CONTADO.

AL VER DESAPARECER A MIS PADRES... ME DESVANECÍ...
Y COMBATISTE PARA DEFENDERME.

TAMBIÉN APRENDISTE UN MOVIMIENTO DEFINITIVO.
Y SIN MIRAR ATRÁS TE ENFRENTASTE A UN ENEMIGO ASÍ DE PODEROSO...

NO IMPORTA LO QUE NOS CUESTE. ¡¡SEGUIREMOS ADELANTE HASTA DERROTARLO!!
¡¡HEMOS VISTO CÓMO DESTROZABAN A NUESTRA AMIGA Y NO PENSAMOS QUEDARNOS DE BRAZOS CRUZADOS!!

¡¡RESPONDED DE UNA VEZ!!

FUH

PUEDE SER COMO DICES... PERO EL RESULTADO HA SIDO ESTE DESASTRE.
TUS PADRES SIGUEN PERDIDOS, NO SABEMOS DÓNDE ESTÁN, NI SIQUIERA HEMOS LOGRADO DETENER LOS ATAQUES Y MIS POKÉMON ESTÁN MUY GRAVES...
ZAH

YA NO SOY UN ENTRENADOR, NI SIQUIERA ESTOY CUALIFICADO PARA POSEER UNA POKÉDEX.

¿ADÓNDE VAS?

ES CULPA MÍA QUE ATACARAN ARCHI7, ASÍ QUE ME VOY.
AHORA QUE NO TENGO LA POKÉDEX, NO SOY MÁS QUE UN ESTORBO.

¡ROJO! ¿DE VERDAD PIENSAS ESO?
¿CREES QUE EL PROFESOR TE HA ARREBATADO LA POKÉDEX PORQUE YA NO CONFÍA EN TI?

SÍ, ES LO QUE PIENSO.
PUES TE EQUIVOCAS.
EL PROFESOR ME DIJO
QUE NECESITABA QUE LE PRESTÁRAMOS TEMPORALMENTE LAS POKÉDEX.
¿ENTIENDES?

¡LAS NECESITO, PORQUE VOY A ACTUALIZARLAS!
¡¡MI IDEA ES INCLUIR LOS DATOS DE OTRAS REGIONES Y QUE LA POKÉDEX ABARQUE TODO EL PAÍS!!
¿ACTUALIZAR...?
¿UNA POKÉDEX NACIONAL?
YA SABES QUE FUI A VERLE AL LABORATORIO Y LLEGUÉ UN DÍA ANTES QUE VOSOTROS.
ZAH
TE DIRÉ LO QUE PASÓ.
DIARIO
ERA EL DÍA EN QUE IBA ENCONTRARME CON PAPÁ Y MAMÁ.
QUERÍA CONTÁRSELO AL PROFESOR OAK.

¡¡QUÉ BIEN, VERDE!!
PROFESOR OAK LABORATORIO POKÉMON
¡ESTÁS HECHA TODA UNA SEÑORITA! ¡¡APENAS TE RECONOZCO!!
¡UH... GRACIAS!
VAS ENCONTRARTE CON TUS PADRES EN ISLA PRIMA. ¿YA TIENES PASAJE...?
MEMORÍN
SÍ, LO TENGO.
EL TRI-TICKET Y EL IRIS-TICKET. YA VISITÉ ARCHI7 CUANDO FUI A CAPTURAR A MOLTRES.
TRI-TICKET
AH, AQUÍ ESTÁ.
¡OH! ME ALEGRO DE QUE NO SE TE HAYA OLVIDADO TRAERLA.
MAÑANA VIENEN ROJO Y AZUL, TAMBIÉN SE LAS PEDIRÉ A ELLOS.
CUANDO TENGA LAS TRES VOY A MEJORARLAS, SOLO TENÉIS QUE ESPERAR UN POCO.
NO TE PREOCUPES, NO TENGO INTENCIÓN DE USARLA. NO PIENSO HACER OTRA COSA QUE ESTAR CON MIS PADRES.
ESTUPENDO... ¡¡JA, JA, JA, JA!!

PROFESOR OA
LAB
QUÉ BIEN.
CUÁNTO ME ALEGRO POR TI, VERDE.
BUENO...
CLON CLON CLON
VAMOS A PONERNOS CON ESA ACTUALIZACIÓN.
¿UH?
ZIIIP
CHAC
QUÉ... ¡¡¿QUÉ ES ESTO?!!

AH, AHÍ ESTÁS.
FLUP
FLUP
ASÍ QUE ESA ES LA FAMOSA POKÉDEX.
EL APARATO DE ENSUEÑO CON EL QUE ALGUNOS ENTRENADORES ELEGIDOS GRABAN TODAS SUS AVENTURAS Y COMBATES POKÉMON.
LA INFORMACIÓN QUE TENÍAMOS ERA CIERTA. ¡ASÍ QUE EL PROFESOR RECOGÍA LAS POKÉDEX HOY MISMO!
BOOOM
POM
CLANC
¿QUIÉN ERES TÚ?
REC
00:00:0
JE, JE... ¿Y LAS POKÉDEX?
¿TE IMPORTA SI MIRO POR AQUÍ?

GROAAAR
¡¡¡KANGAS, FEA, DETENEDLO!!!
PAF
BUM
BA
UM
¡SOY ORM, DE LAS TRES BESTIAS DEL TEAM ROCKET!
Y LA RESISTENCIA ES INÚTIL.
PLOP
PLOP
PLOP
PLOP

¿EH? ¿Y ESTO?
¿NO HABÍA TRES POKÉDEX? AQUÍ FALTAN DOS.
ZUM
¿ME LO VAS A DECIR? JE, JE...
LOS... LOS OTROS DOS CHICOS VIENEN MAÑANA.
PENSABA... RECOGERLAS ENTONCES.
AH, CONQUE SÍ... HMMM... ¿QUÉ PODRÍAMOS HACER?
...
BIEN... HAREMOS LO SIGUIENTE.
PRIMERO VAS A DEJAR UN MENSAJE DONDE LES PIDES QUE ENTREGUEN LAS POKÉDEX.
Y DESPUÉS TE LAS VAS A INGENIAR PARA QUE LOS PROPIETARIOS DE LA POKÉDEX DE PUEBLO PALETA VIAJEN HASTA ARCHI7.
¿ENTENDIDO, PROFESOR OAK?
E... ENTENDIDO.

¡¡...!!
PROPIETARIOS DE LAS POKÉDEX, ESTO ES IMPORTANTE...
¡¡¡DEBÉIS ENTREGAR VUESTRAS POKÉDEX!!!

EL ORDENADOR ENCIMA DE LA MESA ESTÁ CONECTADO AL SISTEMA DE ALMACENAMIENTO DE OBJETOS.
¡DEJAD AHÍ VUESTRAS POKÉDEX!

ASÍ QUE ESA ES LA RAZÓN DE NUESTRO MENSAJE EN EL MEMORÍN...
SÍ, SUPONGO QUE FUE ENTONCES CUANDO SE LO LLEVARON.

EL TEAM ROCKET SOLO COMETIÓ UN ERROR...
NO SE DIERON CUENTA DE QUE EN MI MEMORÍN HABÍA QUEDADO GRABADA LA CONVERSACIÓN ENTRE EL PROFESOR Y ORM.
A Verde
¡SOY ORM, DE LAS TRES BESTIAS DEL TEAM ROCKET!
E... ENTENDIDO.

...
ROJO, SÉ LO QUE ESTÁS PENSAN-DO.
¡SABER LA VERDADERA RAZÓN POR LA QUE EL PROFE-SOR NOS PIDIÓ LAS POKÉDEX
NO CAMBIA EL HECHO DE QUE SOMOS INCAPACES DE DERROTAR A DEOXYS!
¿ES ESO?
NADIE MÁS QUE TÚ PUEDE EN-TENDER ESE SENTIMIENTO DE TERROR Y DERROTA.
NADA DE LO QUE DIGAMOS PUEDE DAR MARCHA ATRÁS A LO QUE SENTISTE.
ASÍ QUE NO VOY A LLEVAR-TE A RAS-TRAS,
PERO...
FOASH
BUENO...

¡¡COMBA-
TIRÉ!!
¡¡VERDE,
ESO
ES...!!
SCREEEK
¡¡UOH,
UOH,
UOH!!
¡¡EH,
PERO
BUE-
NO!!
¡DE PRONTO
ALGO HA EMPE-
ZADO A TIRAR
DE MÍ! ¡¡PERO SI
ME HAS BIRLADO
EL BRAZALETE!!
¡¡¿CUÁAAN-
DO?!!
¡¡¿CÓOO-
MO?!!
?
NUNCA
ME HABÍA
PASADO
ALGO
ASÍ...
JO,
JO...
¿¡VAS A
APRENDER EL
MOVIMIENTO
DEFINITIVO
DE ÚLTIMA?!
¡BOM!
¡¿SORPREN-
DIDO?!

¿NO LE RECOMENDASTE MI BLASTY COMO CANDIDATO IDÓNEO?
¡POR SUPUESTO QUE VOY A APRENDER EL MOVIMIENTO DEFINITIVO DE TIPO AGUA!
¡¡HIDROCAÑÓN!!
BLOF
!
BLUB BLURB
ESTOY DECIDIDA A HACERLO...
POR MIS PADRES...
¡VERDE!
¡¡DEOXYS TIENE UN PODER TERRORÍFICO!!
EL MOVIMIENTO DEFINITIVO NO ES SUFIC...
¡¡NO LO DIGAS!!
¡¡ES ALGO PERSONAL!!

SHA
BZZUM
BZZUM
FLAPFLAP
CREC

UH...
UH...

UH...
UUUH...
UUUH...

¿TE DUELE, DEOXYS?
CLARO.
EL COMBATE CON ROJO. NADIE PUEDE ESCAPAR INDEMNE A ÉL.
PERO...
TODO HA SALIDO COMO HABÍA PLANEADO.
CLAC
¡¡ES EL MOMENTO IDEAL...
...PARA CAPTURARTE!!

POM
¡¡¡EL PO-
DER DEL
ESPACIO
EXTERIOR
ME PER-
TENECE!!!

POKÉMON DEL EQUIPO DE VERDE 1

BLASTY/Blastoise ♂

Agua

- **NV.80** (AL LLEGAR AL CAPÍTULO 190)
- **HABILIDAD: TORRENTE**
- **NATURALEZA: ALEGRE**

LO RECIBIÓ DEL PROFESOR OAK Y ES EL PRINCIPAL MIEMBRO DE SU EQUIPO. SE PUEDE CONTAR CON ÉL PARA COMBATIR A LOS ENEMIGOS MÁS ARDUOS. UTILIZA LA PROPULSIÓN A CHORRO PARA MOVERSE.

JIGGLY/Jigglypuff ♀

Normal

- **NV.67** (AL LLEGAR AL CAPÍTULO 190)
- **HABILIDAD: GRAN ENCANTO**
- **NATURALEZA: FLOJA**

UN POKÉMON QUE ESTÁ CON VERDE DESDE QUE ERA PEQUEÑA. EL RECUERDO TRAUMÁTICO DE LOS AÑOS JUNTO AL HOMBRE ENMASCARADO HIZO QUE NO LE LLAMARA POR SU APODO.

DITTY/Ditto

Normal

- **NV.50** (AL LLEGAR AL CAPÍTULO 190)
- **HABILIDAD: FLEXIBILIDAD**
- **NATURALEZA: ALOCADA**

PUEDE ADOPTAR DIFERENTES FORMAS. HA HECHO BUENAS MIGAS CON ÚLTIMA. AL ADOPTAR LA FORMA DE DEOXYS HA DADO UN BUEN SUSTO A ROJO.

CAPÍTULO 193

DASH
¡¡¡EL PODER DEL ESPACIO EXTERIOR ME PERTENECE!!!
¡¡VAMOS, AGGRON!!

SSSHU
ZZZUM

¡¿TE HAS TELETRANSPORTADO?! YA VEO...
CHAC

Y DENTRO DEL DELTA NEGRO... ¡¡NO SOLO TE REGENERAS, TAMBIÉN TE SIRVE DE ESCUDO QUE TE PROTEGE
DE LOS ATAQUES EXTERIORES!!
¡¡UN ESCUDO MÓVIL!!
ZAH
¡¡PERO YO...
¡POM!
...PUEDO ADELANTARME A TODOS TUS MOVIMIENTOS!!
BZZZ
¡BEEDRILL! ¡AUMENTA TU VELOCIDAD AL MÁXIMO CON AGILIDAD!
¡ACORRÁLALO!
¡¡VAMOS!!

¡TU ESCUDO DELTA ESTÁ AL ROJO VIVO!
BZZZUM

¡BEEDRILL! ¡UTILIZA LA DISTANCIA MÁS CORTA PARA ACO-RRALARLO! ¡¡¡EL ESCUDO DELTA ESTÁ PERDIENDO ENERGÍA!!!
AAAC
¡¡AHORA, AGGRON!!

CRA
¡¡¡DE-
MOLI-
CIÓN!!!
ZAAAM

CLONC

CLONC CLONC
CLONC CLONC

CLONC
CLONC

¡¡LO HE CONSEGUIDO!! ¡¡JA, JA, JA, JA, JA!!
¡¡¡ESTA POKÉ BALL ESPECIAL ME HA PERMITIDO ADUEÑARME DEL PODER DEL POKÉMON DEL ESPACIO EXTERIOR!!!

EL ESCUDO DELTA SURGE DE LA COMBINACIÓN DE REFLEJO Y PANTALLA DE LUZ.
ME HE ARRIESGADO USANDO DEMOLICIÓN, PERO TODO HA SALIDO A LA PERFECCIÓN.

¡JU, JU, JU! ¡ROJO, SIN TU AYUDA...
...NO HABRÍA SIDO POSIBLE!

JU, JU, JU... EL FRUTO DE UNA MINUCIOSA INVESTIGACIÓN.
¡HE ESTUDIADO TODOS LOS PATRONES DE COMBATE DE CADA UNA DE SUS FORMAS Y LAS CARACTERÍSTICAS DE SUS MOVIMIENTOS!

¡LA INFLUENCIA DE LAS DOS PIEDRAS, RUBÍ Y ZAFIRO, SE ESTÁ EXTEN-DIENDO...
...DESDE EL CORAZÓN DE ISLA INTA, A TODA ARCHI7, Y DE AQUÍ A TODO KANTO!

¡GRACIAS A ELLO EXPANDIREMOS EL CLIMA LOCAL DE HOENN Y TU CAPACIDAD DE TRANSFORMA-CIÓN SERÁ PERFECTA!
¡POM!

¡¡ENTONCES TODAS TUS FORMAS, NORMAL, ATAQUE, DEFENSA Y VELOCIDAD, ESTARÁN A NUESTRA ENTERA DISPOSICIÓN PARA UTILIZARLAS EN EL APOGEO DE SU PODER!!

¡¡DEOXYS, EL POKÉ-MON ADN!!
BRRMMBRR
¡¡POR FIN HA LLEGA-DO TU DÍA!!

SHIIN

¡¡OOOH!!

¡¡GIO-
VANNI HA
CONSE-
GUIDO...
...CAP-
TURAR
A DEO-
XYS!!

¡¡MUY BIEN,
CARR, PASAMOS
A LA SIGUIENTE
FASE DE NUES-
TRO PLAN!!
...

¡¡CARR?!
¡¿UH?!

¡DEJA DE
HOLGA-
ZANEAR!
UN...
¡¡UN
MO-
MEN-
TO!!

AZUL ESTÁ DISCUTIENDO LA ESTRATEGIA DE COMBATE. BILL ESTÁ ATAREADO ARREGLANDO EL SISTEMA DEL CENTRO POKÉMON.

ERRASH
FLOAAAASH
FLOAASH

Y VERDE ESTÁ REALIZANDO UN ENTRENAMIENTO INTENSIVO PARA PERFECCIONAR SU MANEJO DE HIDROCAÑÓN, EL MOVIMIENTO DEFINITIVO DE TIPO AGUA...

VERDE TAMBIÉN ESTÁ TOTALMENTE CONVENCIDA PORQUE ES-PERA VOLVER A REUNIRSE CON SUS PADRES.

AHORA QUE SABE QUE EL TEAM ROCKET HA RAPTADO A SU ABUELO, AZUL PARECE MÁS DECIDIDO A COMBATIR QUE NUNCA.

LOS DOS LUCHAN POR SU FAMILIA.

¿PARA QUÉ COMBATIR?

PERO PIKA... ¿QUÉ MOTIVO TENGO YO?

NO TENGO UNA MOTIVACIÓN FUERTE PARA ENFRENTARME A UN ENEMIGO ANTE EL QUE NO TENGO LA MÁS MÍNIMA OPORTUNIDAD...
¿ES POR ESO QUE HE HUIDO?

TAH

...

NO.

NO ES ESO, PIKA.
ME ESTOY ENGAÑANDO A MÍ MISMO. YA VEO QUE LO SABES.

HACE MUCHO QUE NOS CONOCEMOS.
NO TENGO SECRETOS PARA TI...

ASÍ QUE SERÁ MEJOR QUE SEA SINCERO.
ME DABA MIEDO DECÍRSELO A AZUL Y VERDE, PERO A TI TE LO DIRÉ...

ANTES
DE QUE DEOXYS COMENZARA SU ATAQUE...

¡YO YA SABÍA QUE ESTABA A PUNTO DE APARECER...
BOOM
BILL, NO SÉ POR QUÉ, PERO...
¡¡PUEDO SENTIR SU PRESENCIA!!
¡¡EL POKÉMON SE APROXIMA!!
...ANTES DE QUE LLEGARA!

SENTÍ COMO SI ALGO ME DERRIBARA POR DENTRO.
LA SANGRE ME CIRCULABA EN SENTIDO CONTRARIO, EL CORAZÓN SE ME SALÍA POR LA BOCA...
¡¡NADA QUE VER CON LA EXCITACIÓN HABITUAL ANTE UN ENEMIGO PODEROSO!!
¡¡NUNCA HABÍA SENTIDO NADA PARECIDO!!

MIENTRAS COMBATÍA ESTABA COMPLETAMENTE ABSORTO, PERO EN CUANTO SE FUE VOLVÍ A RECORDARLO...
...Y EL MIEDO SE APODERÓ DE MÍ.

¿QUÉ TIENEN QUE VER ESA SENSACIÓN QUE ME ASALTÓ Y LA APARICIÓN DE DEOXYS?
¿QUÉ ES EXACTAMENTE? ¿QUÉ LO PROVOCA? NO LO COMPRENDO Y ESO ME ATERRA.

...

SÍ...
HUMPH
TIENES RAZÓN. AHÍ ESTÁ LA RESPUESTA.

¡VOY A COMBATIRLO PORQUE ES UN ENEMIGO TERRIBLE, PORQUE HA SEMBRADO EL TERROR EN ARCHI7, PORQUE HAY QUE SALVAR AL PROFESOR OAK Y A LOS PADRES DE VERDE!
PERO SOBRE TODO...

¡SÉ POR QUÉ TENGO QUE COMBATIR A DEOXYS!

¡PORQUE DEBO IDENTIFICAR LAS EXTRAÑAS EMOCIONES QUE SE APODERARON DE MÍ!
¡¡ESA ES MI RAZÓN PERSONAL PARA LUCHAR!!

GRACIAS, PIKA.
CONTIGO HE PODIDO SINCERARME, PORQUE NO NECESITO IR DE DURO.
AUNQUE ESO YA DA IGUAL, ¿NO? YA QUE HE SALIDO HUYENDO DEBERÍA DARME IGUAL LO QUE PUEDA PARECER.
¡¡VAMOS!! ¡HE ESTADO PERDIDO Y DEBO ENCONTRARME A MÍ MISMO!

¡PRIMERO IREMOS A ISLA SÉTIMA, A SOCORRER A LORELEI!
¡LORELEI DEL ALTO MANDO YA HA SIDO RESCATADA!
¿EH? ¿QUIÉN...?
FSSHUUU
FSSSHUUU
!!

¡ZAAAAN!

ROJO...
PUEDO ENTENDER BIEN TUS SENTIMIEN-TOS.
POM
YO TAMBIÉN QUERÍA ENTEN-DERME A MÍ MISMO, COM-PRENDER QUIÉN ERA.
¡UN ARMA PSÍQUI-CA EN FORMA DE CUCHARA! ¡¡DEBE DE HABERLA MATE-RIALIZADO CON SU ENORME PODER PSÍQUICO!!
¡¡ALGO ASÍ SO-LO...!! ¡¡TÚ DEBES DE SER...!!

¡¡MEW-
TWO!!
¡EL POKÉMON GENÉTICO CREADO POR EL TEAM ROCKET! ¡HACE AÑOS QUE DESAPARECISTE DESPUÉS DE AQUEL COMBATE!
¡¡ES-
TÁS EN LO CIER-
TO!!
¡¡SOY MEWTWO!!

POKÉMON DEL EQUIPO DE VERDE 2

CLEFY/Clefable ♂

Normal

- **NV.68** (AL LLEGAR AL CAPÍTULO 191)
- **HABILIDAD: GRAN ENCANTO**
- **NATURALEZA: PÍCARA**

CLEFY EVOLUCIONÓ GRACIAS A LA PIEDRA LUNAR DE ROJO. SU ESPECIALIDAD ES CONFUNDIR AL ADVERSARIO GRACIAS A MOVIMIENTOS COMO REDUCCIÓN O METRÓNOMO.

NIDDY/Nidorina ♀

Veneno

- **NV.69** (AL LLEGAR AL CAPÍTULO 191)
- **HABILIDAD: PUNTO TÓXICO**
- **NATURALEZA: MANSA**

SU ESPECIALIDAD SON LOS MOVIMIENTOS DE TIPO VENENO Y LA LUCHA CUERPO A CUERPO. ¡EL SUPERSÓNICO QUE LANZA POR LA BOCA SIEMBRA LA CONFUSIÓN ENTRE SUS ADVERSARIOS...!

SNUBBULL/Snubbull ♂

Normal

- **NV.22** (AL LLEGAR AL CAPÍTULO 191)
- **HABILIDAD: FUGA**
- **NATURALEZA: MIEDOSA**

LO EMPLEÓ EN LA BATALLA CONTRA EL ALTO MANDO COMO EL SÉPTIMO AS OCULTO. EN LA BATALLA DE ENCINAR TAMBIÉN JUGÓ UN PAPEL FUNDAMENTAL. AHORA MISMO ESTÁ A PUNTO DE EVOLUCIONAR.

CAPÍTULO 194

¡¡EL POKÉMON GENÉTICO CREADO POR EL TEAM ROCKET QUE DESAPA-RECIÓ DESPUÉS DEL COMBATE DE HACE UNOS AÑOS!!
¡¡EN EFECTO, SOY MEW-TWO!!

¡¿PERO QUÉ...?!
¡¿QUÉ HACÍAS CARGAN-DO CON LORE-LEI?!

CUANDO PASÉ POR ISLA SÉTIMA ME LA ENCONTRÉ Y LA RECOGÍ.

¿EN ISLA SÉTIMA...?
...
¿EH?

CÓ... ¡¿CÓMO ES QUE PUEDES HABLAR?!

ZUM
CHAC
¡¡UAH!!

SHU
ESTÁN MUY DEBILITA-DOS...
¡¿QUÉ PIEN-SAS HA-CER?!
¡¿ES QUE NO LO EN-TIEN-DES?!

¡HE VENIDO A INVI-TARTE...
...A COMBA-TIR A MI LADO!

ARF... AGH... ¿QUÉ TAL?
ÚLTIMA.
E... ¡¡ESTO ES INCREÍBLE!!
ESOS OTROS DOS EXCELENTES ENTRENADORES SOLO LLEGARON A APRENDER LOS MOVIMIENTOS DEFINITIVOS DESPUÉS DE HABER PASADO POR EL CAMINO DEL SALTO, EL CAMINO DE LA RECOLECCIÓN Y EL CAMINO DEL COMBATE. ¡Y TÚ, EN CAMBIO...!

BRR. R.
¡¡HAS APRENDIDO RÁPIDAMENTE EL MOVIMIENTO, Y CON UN PODER INCREÍBLE!!
M
¡¡¡ES ALGO MILAGROSO!!!

¡¡NUNCA HABÍA VISTO NADA IGUAL!!
JO, JO, JO.
CHAC
¡TOC!
¡QUÉ BIEN! Y LO HE LOGRADO ANTES DEL AMANECER.
¡¡VERDE!!
...
¿HAS ADQUIRIDO EL MOVIMIENTO?
¡PUES SÍ!

ENTONCES ÉCHAME UNA MANO, TAMBIÉN TE SERVIRÁ DE PRÁCTICA.

?
MIRA...

HE IDO A SUPERVISAR EL BARCO ANTES DE PARTIR, Y ME HE ENCONTRADO CON UN PROBLEMA.
¿UN PROBLE-MA?

¡VA-MOS!
¡¡VA-MOS!!
SPLASH
SPLASH

¡¡VA-MOS!!
¡SALID DE AHÍ! ¡¡FUERA!!

¡¿QUÉ HACE EL MARINE-RO?!
¡FÍJATE EN EL FONDO DEL BAR-CO!

BRRRMMM

SHIIIN

¡¡SE HAN PEGADO A LA HÉLICE Y EL BARCO NO SE PUEDE MOVER!!

¡¿EH...?!
¡SON POKÉMON SÍMBOLO! ¡¡UNOWN!!

ANOCHE, JUSTO ANTES DE QUE ÚLTIMA ME LLAMARA PARA IR A BUSCARLA A ISLA SECUNDA...
...VI UNA MASA SOBREVOLANDO LA COSTA DE ISLA SÉTIMA. ¡¡AHORA ME DOY CUENTA DE QUE ERAN ELLOS!!

PROBABLEMENTE SE MUEVEN BAJO LAS ÓRDENES DE SIRD, YA FUE ELLA QUIEN LOS LIBERÓ EN EL COMBATE CONTRA LORELEI.
¡¡HABRÁN LLEGADO SIGUIENDO EL SURCAMAR,
SUPONGO QUE PARA VIGILARNOS Y RESTRINGIR NUESTROS MOVIMIENTOS!!

MUY BIEN. APARTÉMOSLOS DE AHÍ CON NUESTROS POKÉMON.
ES EL MOMENTO DE USAR NUESTROS MOVIMIENTOS DEFINITIVOS.

VERDE, ¡¿TIENES CONFIANZA EN TU PRECISIÓN?!
DESDE LUEGO.
CONFÍO EN TI. MI CHARIZARD TODAVÍA TIENE UN CONTROL ALGO POBRE Y LENTO, GUÍANOS Y NOSOTROS TE SEGUIREMOS.
¡¡EH, EH!!

¡¡¿Y SI HACÉIS VOLAR POR LOS AIRES LA HÉLICE, QUÉ?!!
ESO NO VA A PASAR. ÉCHATE A UN LADO.

¡VAMOS, AZUL!

MOVIMIENTO DEFINITIVO DE TIPO AGUA, ¡¡¡HIDRO-CAÑÓN!!!
MOVIMIENTO DEFINITIVO DE TIPO FUEGO, ¡¡¡ANILLO ÍGNEO!!!
FLOASH
FRRAAASH

¡POM!
¡NO TE PREO-CUPES! ¡¡LA ESTABILIZARÉ CON MI MOVI-MIENTO!!
WAASH
¡OH, NO! ¡AUNQUE COMPENSEMOS LA TRAYECTORIA DE BLASTOISE, AÚN NO TIENE SUFICIENTE ESTABILIDAD!
SHUUU
¡¡MOVI-MIENTO DEFINI-TIVO DE TIPO HIERBA!!
¡¡¡PLANTA FEROZ!!!

FZUUU
¡¡OOOH!!
¡¡LOS TRES
MOVIMIENTOS
DEFINITI-
VOS SE HAN
FUNDIDO
EN UNO!!!
BROAAASH

UUM
BAAAUM

BOM
PLASH

ROJO...

SIENTO LO DE ANTES...
YO TAMBIÉN IRÉ CON VOSOTROS.

¡HE VUELTO PORQUE HE DECIDIDO...
...SEGUIR ADELANTE DESPUÉS DE TODO!

¡YO TENÍA FE EN TI, TE ESTABA ES-PERANDO, ROJO!
TÚ MISMO.
...

¡¿HAS RESCA-TADO A LORE-LEI?!
¿PERO CÓMO HAS IDO HASTA ISLA SÉ-TIMA?

NO, NO HE SIDO YO.

¡GRAAARG!

HORAS DES-PUÉS...
¡SPLAASH!
¡MUY BIEN! ¡¡TODOS LISTOS!!
¡¡PARTIMOS HACIA LA REVANCHA!!
NO PUE-DO EVITAR SENTIRME INTRAN-QUILA...
SÍ, YO TAMPOCO ENTIENDO QUÉ HACE AQUÍ...

¡YA OS HE DICHO QUE VIENE A COMBATIR A MI LADO!

MIS POKÉMON ESTÁN MUY GRAVES, EL CENTRO POKÉMON HA SIDO DESTRUIDO Y NO PUEDEN RECUPERARSE PARA EL COMBATE.
¡¡ES UNA SUERTE QUE TENGAMOS DE NUESTRO LADO A UN POKÉMON TAN FUERTE COMO MEWTWO!!

¡¡ADEMÁS, PARECE QUE HA ESTADO INVESTIGANDO LO OCURRIDO!!
YA, ROJO...
¿Y CÓMO SABES LO QUE PIENSA MEWTWO?
¡AL COMIENZO A MÍ TAMBIÉN SE ME HACÍA MUY EXTRAÑO!
¡PARECE QUE UTILIZA ALGUNA CLASE DE TELEPATÍA Y LO OIGO DIRECTAMENTE EN MI CABEZA!
¡NO ME DIGÁIS QUE NO PODÉIS OÍRLO!
SOLO TÚ PUEDES OÍRME.
ES INÚTIL.

ANTES NO PODÍA TRANS-MITIRLES MI PENSAMIEN-TO A LOS HUMANOS...
PERO ADQUIRÍ ESTA HABILIDAD GRACIAS A UN MAESTRO DEL QUE LUEGO ME SEPARÓ EL DESTINO.

AUN-QUE...

...NO TODO EL MUNDO PUEDE COMUNICARSE CONMIGO. SIGO DESCONFIAN-DO DE LOS HUMANOS.

SOLO ME COMUNICO CON OTRAS DOS PER-SONAS.

TÚ, ROJO, EL ÚNICO QUE HA LOGRADO CAPTURAR-ME...
...Y ESE VALIENTE ENTRENADOR DEL SOMBRERO, QUE SE ALIÓ CONMIGO PARA COMBATIR A UN FORMIDABLE ENEMIGO.

YO...
...Y AMA-
RILLO...

ESO
ES...

¡¡ROJO!!
CHAC

CÉNTRATE, YA SE VE ISLA SÉTIMA.
¡MIRA TU BUSCA-PELEA!

!!!
¡¡ESTÁ REACCIO-NANDO!!

SÍ, NATURALMENTE. AHORA MISMO LOS ENEMIGOS QUE QUIEREN COMBATIR CON NOSOTROS ESTÁN POR AQUÍ CERCA.
¡CLAC!

¡¡TAMBIÉN EL DE VERDE!!
¡¡Y EL DE AZUL!!

LA DIRECCIÓN A LA QUE APUNTA EL BUSCAPELEA ES...

¡EL EDIFICIO MÁS ALTO! ¡¡ALLÍ DONDE LOS HABITANTES DE LA ISLA SOLÍAN IR A PRACTICAR Y COMPETIR EN UNA LUCHA CONTRARRELOJ!!
¡AH!
¡¡AQUÍ VIENEN!!
FAAAAH

FLASH

ZAH

¡¡OTRA VEZ UNOWN!!
¡¡NOS ESTÁN CERRANDO EL PASO!!

¡ASÍ QUE DEBEMOS DE ESTAR EN UN SITIO IMPORTANTE! ¡PUEDE QUE EL CUARTEL GENERAL DE NUESTROS ENEMIGOS!
¡CHARIZARD NOS ABRIRÁ PASO DESDE EL AIRE!
ESO COSTARÍA MUCHO.
FO OM
¡PENETRAREMOS DE GOLPE USANDO MI BARRERA ESFÉRICA!

WOOOSH
¡¡TODO AQUEL QUE SE INTERPONGA...
CLAC
BAAAUM
...CAERÁ!!
BAM
BAM
BAM
BAM
BAM

ENTRENADORA DEL ALTO MANDO ESPECIALIZADA EN EL TIPO HIELO. COMBATE INMOVILIZANDO AL ADVERSARIO CON MOVIMIENTOS DE TIPO HIELO. AGATHA LA SALVÓ CUANDO ERA UNA NIÑA Y POSTERIORMENTE COMBATIÓ JUNTO AL RESTO DEL ALTO MANDO PARA MATERIALIZAR LOS PLANES DE LANCE. PARECE TENER UN CARÁCTER IMPERTURBABLE, PERO AMA PROFUNDAMENTE A LOS POKÉMON. AL ENTERARSE DE QUE EL TEAM ROCKET HABÍA IRRUMPIDO EN SU PUEBLO, ISLA QUARTA, DECIDIÓ UNIRSE A LOS ENTRENADORES DE PUEBLO PALETA PARA COMBATIRLO.

CON RAYO HIELO TIENE EL PODER DE REALIZAR FIGURAS DE HIELO MOLDEADAS COMO PERSONAS CONCRETAS.

- LUGAR DE NACIMIENTO: ISLA QUARTA
- CUMPLEAÑOS: 15 DE MARZO
- GRUPO SANGUÍNEO: A
- POKÉMON: CLOYSTER, JYNX, SLOWKING, DEWGONG

CAPÍTULO 195

BAM
BAM
BAM
BAUM
¡QUÉ FUERZA MÁS TERRIBLE!
¡¡Y QUÉ VELOCIDAD!!
ESTE ES EL PODER DE MEWTWO...
¡¡¡EL POKÉMON GENÉTICO!!!
PLOP
FUM
FUM
FUM
FUM
FUUUUUM

¡¡HAY TANTOS UNOWN QUE NO SE PUEDE VER EL EDIFICIO!!
BAM
BAM
BAM

¡AL MOVERSE A TODA VELOCIDAD LOS UNOWN SE SOLAPAN CONTINUAMENTE...!
¡LA ESTRATEGIA IMPIDE AVANZAR O DISPERSARLOS; ES UNA FORMACIÓN REALMENTE EFECTIVA!

FUM
FUM
FUM
BAM
¿QUÉ HACEMOS, MEWTWO?
YA HE DICHO QUE NO IMPORTA CUÁNTOS SE NOS INTERPONGAN.
ZUM
¡AGARRAOS BIEN!

WUOOOOOOSH

BRRROOOM
¡¡ESTÁ EMPEZANDO A ABRIR EL REMOLINO...
...CON LA ENERGÍA PSÍQUICA EN FORMA DE CUCHARA!!
FRAAASH
FIU
FIU
FIU

FUOOOOH
¡¡VUESTRA ARGUCIA NO SERVIRÁ DE NADA ANTE ESTE MOVIMIENTO!!
¡¡¡PSICO-ONDA!!!
BRROM
¡¿HA DICHO "PSICO-ONDA"?!
¡OH...!
BRROOM
¡LAS ONDAS PSÍQUICAS DE MEOWTH...
...HAN GENERADO UN TORNADO!
ZOOOM
FAAAH
SSSH

MEWTWO HA DERRIBADO A TODOS ESOS UNOWN QUE RODEABAN LA TORRE. Y LO HA HECHO DE UNA SOLA VEZ.
ÉL SOLO SE BASTA PARA IGUALAR EL PODER COMBINADO DE NUESTROS TRES MOVIMIENTOS DEFINITIVOS...
ZIUUU
ZIUUU
PAF PAF PAF
JU, JU, JU...
FUUUH
ESTÁ BIEN, SOLO ESTOY COMBATIENDO SIN PREOCUPARME DEL TIEMPO LÍMITE.
FUUUM
BUENO, ¡ENTREMOS!
TAP

ESTE LUGAR...
¡¡...ES EL EDIFICIO MÁS GRANDE DE ARCHI7, LA TORRE DESAFÍO!!

LOS ENTRENADORES QUE VENÍAN COMPETÍAN POR SER LOS PRIMEROS EN LLEGAR AL TEJADO DEL EDIFICIO.
¡PERO NOSOTROS VAMOS A COMENZAR DESDE EL TEJADO!
BUENO, ¡PUES EMPECEMOS NUESTRA PROPIA CONTRARRELOJ!

¡¿QUÉ OS PASA A VOSOTROS DOS?!

AH...
PERO...

¡¡¡ABUE-
LO!!!
¡¡PAPÁ!!
¡¡MA-
MÁ!!

¡VER-
DE!
¡¡AZUL!!
DASH
DASH

¡NO! ¡¡OS EQUIVOCÁIS!!
¡¡SON HOLOGRAMAS!!

¡¡UAGH!!
CLANC
CLONC
¡¡KYAAAH!!
¡¡AZUL!! ¡¡VERDE!!
ZUUUM

CHAC
¡¡UARRRH!!
¡¡GRRR!!
WIIIH
FIUUUUUU
FFFUUUM

AC
VENID POR AQUÍ.
ZU
FSSSH

TCHA

POM
¿TODO BIEN?
SÍ.

¡¡ESOS TIPOS DEL TEAM ROCKET...!! ¡¡SE HAN SERVIDO DE LOS SENTIMIENTOS DE AZUL Y VERDE!!

QUERRÁS DECIR QUE SE HAN DEJADO UTILIZAR.

ESTAMOS EN PLENO COMBATE, EN EL INTERIOR DEL CUARTEL GENERAL DE NUESTRO ENEMIGO.
...

ESTÁ CLARO QUÉ ES LO QUE QUIEREN.
EN PRIMER LUGAR, SEPARARNOS.

ESTÁN TOMANDO PRECAUCIONES AL VER EL PODER DE NUESTRO ATAQUE CONJUNTO.
¡¡DEBEMOS EVITAR CAER EN LAS TRAMPAS DEL ENEMIGO!!

HM... SERÁ MEJOR QUE NO PERDAMOS TIEMPO.
VOY A UTILIZAR MIS PODERES TELEPÁTICOS, ASÍ OS EVITARÉ VOLVER A CAER EN UNA TRAMPA...
SWUUUM
SHUN
¡ALLÍ!

BLAM
¡¡ABUELO!!
OH... OH... ¿AZUL?
¡VOY A SOLTARTE!
¡¡ESPERA, AZUL!!
¡¡YA LO SÉ!!
POM
POM
POM
POM
POM
POM
POM

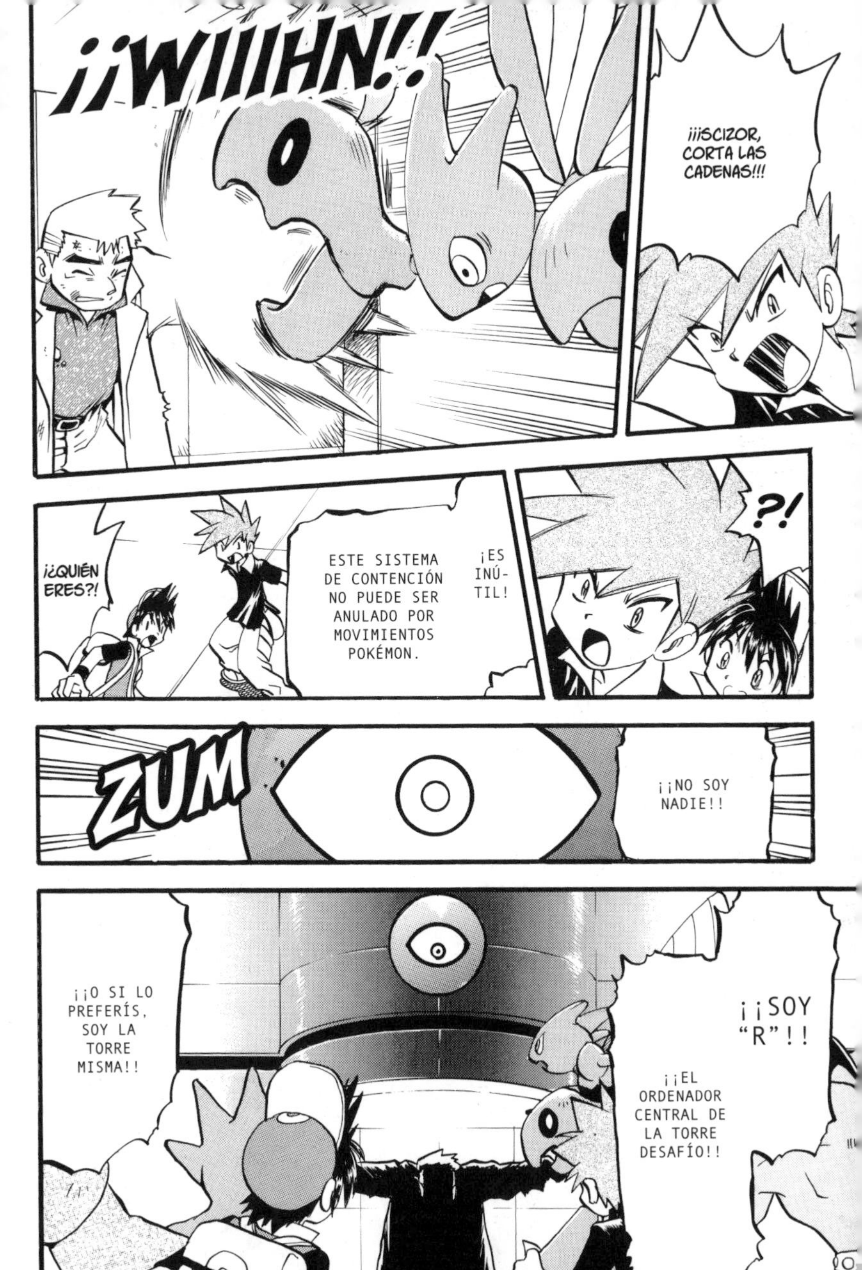
¡¡¡SCIZOR, CORTA LAS CADENAS!!!
¡¡WIIIHN!!
?!
¡ES INÚ-TIL!
ESTE SISTEMA DE CONTENCIÓN NO PUEDE SER ANULADO POR MOVIMIENTOS POKÉMON.
¡¿QUIÉN ERES?!
¡¡NO SOY NADIE!!
ZUM
¡¡SOY "R"!!
¡¡EL ORDENADOR CENTRAL DE LA TORRE DESAFÍO!!
¡¡O SI LO PREFERÍS, SOY LA TORRE MISMA!!

¡¡LA TORRE TIENE CON-CIENCIA?!
¡QUÉ ES-TUPIDEZ, ¿AHORA NUESTRO ADVER-SARIO ES UN EDIFI-CIO...?!
¡CHANC!
¡CHUNC!
¡¡¡NO ME LLAMÉIS ESTÚPI-DO!!!

FZZZZ

ZAAM
FRAASH

¡¡OS HE DICHO QUE ERA INÚTIL!! ¡¡LOS MOVIMIENTOS POKÉMON NO TIENEN EFECTO SOBRE MÍ!!
¡¡NI SIQUIERA LOS DE MEWTWO!!
FLOOOSH
RRRR
ZUM
¡MIENTRAS SIGÁIS EN LA TORRE OS PERSEGUIRÉ CON TODA CLASE DE ARMAS VOLADORAS!
¡¡SON BASTANTE MÁS PODEROSAS QUE LOS MOVIMIENTOS POKÉMON!!
BOOOM
RRRR
¡¡¡LA PROBABILIDAD DE QUE RESCATES A TU ABUELO ES DE UN 0%!!!
WIIIN
BRRRMM
BZZZUM
...
¿MÁS PODEROSAS QUE LOS MOVIMIENTOS POKÉMON?
¿INSINÚAS QUE NO TENGO NINGUNA POSIBILIDAD DE RESCATAR A MI ABUELO?
¿HABLAS EN SERIO?

¡ASÍ ES!
¡¡MI CAPACIDAD DE PROCESAMIENTO PUEDE CALCULAR TODAS LAS SITUACIONES POTENCIALES Y DAR SIEMPRE UNA RESPUESTA PERFECTA!!
RRR
ZZUUU
ZUUU
SI ERES CAPAZ DE CALCULAR TODAS LAS SITUACIONES, ME IMAGINO QUE YA LO SABRÁS.
PERO DIME, SOLO POR CURIOSIDAD, ¿CUÁL ES...
...MI SEXTO POKÉMON?
POR SUPUESTO QUE LO SÉ. TU SEXTO POKÉMON ES...
¡AAARGH!
¡¿QUÉ ES ESO?!
¡¡ALGO SE ESTÁ INFIL-TRANDO EN MI RED!!
¡SE ACERCA A MI NÚ-CLEO A UNA TREMENDA VELOCIDAD!
¡ES...!

¡¡ES EL POKÉMON VIRTUAL!! ¡¡PORY-GON2!!
¡¡UN GUERRERO CIBERNÉ-TICO QUE PUEDE VIAJAR POR LOS SISTEMAS INFORMÁ-TICOS!!
¡UAH! ¡UAH!
¡¡HE UTILIZADO UNA BAYA ASLAC QUE HA INCRE-MENTADO SU VELOCIDAD!!
PUEDE QUE DESDE FUERA SEAS INEXPUGNA-BLE, ¡PERO NO DESDE DENTRO! ¡¡APUNTA AL NÚCLEO!!

¡¡¡ELEC-TROCA-ÑÓN!!!
ZAAP

¡MUY BIEN! ¡¡LO SIGUIENTE ES LIBERAR A MI ABUELO DE SUS ATADURAS!!

ZIIIU

BZUUUM
¡¡NO!!

CLANC
CLANC

PORY-GON2, ¡RECICLAJE!
BZUUUM
¡¡¡UTILIZA OTRA BAYA ASLAC Y CORRE A LIBERAR A LOS PADRES DE VERDE!!!

¡PRO-FE-SOR!
NO OS PREOCUPÉIS POR MÍ... RÁPIDO... LOS PADRES DE VERDE...

POR AQUÍ.

¡¡PAPÁ!!
¡¡¡MA-
MÁ!!!
MENOS
MAL...
POR
FIN...

PARECE
QUE ES
DEMASIADO
PRONTO...
...PARA
CELEBRAR
EL FELIZ
REENCUEN-
TRO.
SWOOOAH

CELIO

- LUGAR DE NACIMIENTO: ISLA PRIMA
- CUMPLEAÑOS: 12 DE NOVIEMBRE
- GRUPO SANGUÍNEO: A
- PROFESIÓN: DESARROLLADOR Y ENCARGADO DEL MANTENIMIENTO DEL SISTEMA DE TELETRANSPORTE POKÉMON

UN JOVEN INVESTIGADOR CON QUIEN BILL DESARROLLÓ EL SISTEMA DE TRANSFERENCIA POKÉMON. ES EL ENCARGADO DEL SISTEMA EN ARCHI7. CALMADO Y DE CARÁCTER TRANQUILO, TIENE UN GRAN SENTIDO DE LA JUSTICIA. RESPETA A BILL COMO INVESTIGADOR SENIOR; EN CIERTO MODO LO HA TOMADO COMO MODELO. A RAÍZ DE LA INTERRUPCIÓN DEL SISTEMA SE HA VISTO IMPLICADO EN LA BATALLA Y ESTÁ AYUDANDO A LOS ENTRENADORES DE PUEBLO PALETA.

CAPÍTULO 196

¿EEEH...?
¿VARIOS DEOXYS?
¿PERO CÓMO...?

¿DE DÓNDE HAN SALIDO TANTOS?
¡¡¿QUÉ ESTÁ PASANDO, ROJO?!!

¡NO LO SÉ...! ¡NO ENTIENDO NADA!
¡¡SE PARECEN A DEOXYS, PERO...!!

FUAAAH
¡¡CUIDADO, SE ACERCAN!!
¡CLEFY, JIGGLY! ¡¡PROTEGED A PAPÁ, MAMÁ Y EL PROFESOR!!
ZUUUM
¡SAUR!
¡CHARIZARD!
¡BLASTY!

BRMMM

BAM BAM
BAM
BAM
SHAAAA

BAUM
¡UAGH! ¡QUERÍA IR DETRÁS PARA AYUDAR A ROJO Y LOS DEMÁS...!
¡¡...PERO NO HAY MANERA DE ACERCARSE A LA TORRE!!
BAUM

¡¿DE VERDAD HAN LOGRADO ENTRAR?!
¡SÍ! ¡¡MI VISTA NO MIENTE!!

CASI ME DA UN VUELCO EL CORAZÓN CUANDO LOS HE VISTO ATRAPADOS POR ESAS MANOS MECÁNICAS...
¡¡PERO HAN CONSEGUIDO ESCAPAR GRACIAS A MEWTWO!!
BAM

CO... ¡¿CÓMO LO HAS VISTO A ESTA DISTANCIA?!
¡ES QUE TENGO UNA AGUDEZA VISUAL DE NIVEL 6!

LAS MANOS QUE SALIERON DE LAS TRES CÚPULAS BUSCABAN SEPARAR A ROJO, AZUL Y VERDE.
¡PUEDE QUE LAS TRES BESTIAS TUVIERAN INTENCIÓN DE COMBATIRLOS POR SEPARADO!
VS
VS
VS

ES POSIBLE...

¡¡HAS RECOBRADO LA CONCIENCIA, LORELEI DEL ALTO MANDO!!
¡ES UN HONOR! ¡¿CÓMO ES QUE UNA ENTRENADORA LEGENDARIA CONOCE MI NOMBRE?!
...PERO NO LO CREO.
PARECE QUE TENGO MUCHO POR LO QUE DARTE LAS GRACIAS.
¡NO ES NADA! PERO, ¿POR QUÉ NO ESTÁS DE ACUERDO?
POR ESTO.
CLAC
EN ISLA SÉTIMA ME ENFRENTÉ A SIRD, LA LÍDER DE LAS TRES BESTIAS, Y PERDÍ.
PERO CUANDO SE MARCHABA RECURRÍ A UN TRUCO.
MI JYNX LANZÓ UN AIRE HELADO QUE SE PEGÓ A SU PIERNA IZQUIERDA.
FUNCIONA COMO UN TRANSMISOR, ASÍ QUE SÉ DÓNDE SE ENCUENTRA AHORA MISMO.

DE MODO QUE...
...LAS TRES BESTIAS... O AL MENOS SIRD, NO SE ENCUENTRAN DENTRO DE LA TORRE.

¡¿COMOOOO?!
¡¡AAAAH!!
ZAAAAM
¡EN-TONCES, ¿DÓNDE ESTÁ?!

SOBRE-VOLANDO EL MAR. SE DIRIGE A ISLA EXTA...
...A UNA ENORME VELOCI-DAD.
NO PARECE QUE VIAJE EN POKÉ-MON...
FA
FA
FA
FA
...SINO EN ALGÚN APARA-TO VOLA-DOR DE ENORME TAMAÑO.

FA
FA
FA
FA
¡POM!
¡VOY!
EL IMBÉCIL DE ORM SIGUE DEAMBULANDO POR AHÍ. VE A POR ÉL, CARR.

UAH...
POM
BUM

MUY BIEN.

ES EXTRAÑO...
...QUE LAS TRES BESTIAS NO ESTÉN EN LA TORRE.
AHORA QUE LO PIENSO...

AL ACERCARNOS A ISLA SÉTIMA EL BUSCAPELEA REACCIONÓ INDICANDO LA PRESENCIA DE ENTRENADORES EN LA TORRE DISPUESTOS A COMBATIR.

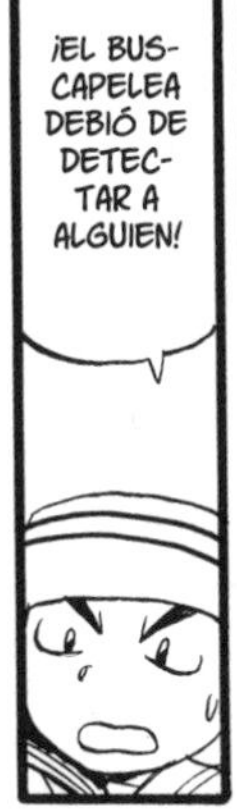
¡EL BUSCAPELEA DEBIÓ DE DETECTAR A ALGUIEN!

LO QUE QUIERE DECIR...
...QUE TIENE QUE HABER UN ADVERSARIO QUE LOS ESPERA EN EL INTERIOR DE LA TORRE...

¡¡SON INNUMERABLES!!
¡¡SÍ!!
¡¿PERO DE DÓNDE SALEN?!
HE LOGRADO DIVIDIR A DEOXYS.
FLAP FLAP FLAP FLAP
UN CONVENIENTE MÉTODO DE REPRODUCCIÓN.
PARA OBTENER ESTAS COPIAS.
FLAP FLAP FLAP
AHORA QUE ES MÍO DEOXYS HA ADQUIRIDO UN NUEVO PODER.
¿Y ESA VOZ?

RAID ON THE CITY, KNOCK OUT, EVIL TUSKS.
REAL-MEN-TE...
...HA PASADO TIEMPO, ROJO.
Y...
WOOOSH

BIENVENI-
DOS A LA
GUARIDA
DEL TEAM
ROCKET,
¡LOS
COLMILLOS
DE LA
DESTRUC-
CIÓN!
¡¡GIO-
VANNI...!!
VEO QUE
SE HA PRE-
SENTADO
UN INVITADO
INESPE-
RADO.
SWAH
SWAH
MEWTWO.

FUUUM

¿QUÉ PRETENDES, MEWTWO?
YO TE CREÉ, ME DEBES LA VIDA.
TAH

¡DESDE LUEGO! EL TEAM ROCKET ME CREÓ.
¡OH! ¡TELEPATÍA!
¿AHORA TAMBIÉN PUEDES COMUNICARTE MENTALMENTE CON LOS HUMANOS?

SOLO CON LAS PERSONAS EN QUIENES CONFÍO.
¡¡PERO TÚ ERES LA EXCEPCIÓN!!

ME CREASTE PARA SATISFACER TU AMBICIÓN PERVERSA E INSA-CIABLE. SOLO ME COMUNICO CONTIGO...
¡¡...PARA HACERTE SABER MIS INTENCIO-NES!!
¿A QUÉ HAS VENIDO?
¡¡NO PERMITIRÉ QUE SIGAS EXPERI-MENTANDO CON POKÉMON!! ¡¡NINGÚN OTRO POKÉMON TENDRÁ QUE PASAR POR LO MISMO QUE YO EN EL LABO-RATORIO!!
¡A ESO HE VENIDO!
ÑUC
ZUUUM
¡VOY A ASEGURARME DE QUE NUNCA MÁS PUEDAS HACER ALGO ASÍ!

SSHOOOO
TOMP
UGH.
¿MEWTWO, QUÉ QUIERES DECIR? ¡¿A QUÉ TE REFIERES?! ¡¿ES QUE GIOVANNI HA SEGUIDO EXPERIMENTANDO?!
¡¿ES DEOXYS FRUTO DE LA EXPERIMENTACIÓN?!
NO ESTOY COMPLETAMENTE SEGURO, PERO TE HABRÁS FIJADO EN EL NOMBRE QUE UTILIZA EL TEAM ROCKET PARA REFERIRSE A ÉL.
OS ESTÁ USANDO DE CEBO...
...PARA ATRAER A DEOXYS, EL POKÉMON ADN.

EL POKÉMON ADN...

EL ADN O ÁCIDO DESOXIRRIBONU-CLEICO CONTIENE LAS INSTRUCCIONES NECESARIAS PARA CONSTRUIR CUALQUIER SER VIVO, Y LOS SEGMENTOS QUE LLEVAN ESAS INS-TRUCCIONES SON LOS GENES.
A MÍ, MEWTWO, ME LLAMAN "EL POKÉMON GENÉTICO".

EL POKÉMON GENÉTICO Y EL POKÉMON ADN, DOS NOMBRES PRÁCTICAMEN-TE EQUIVA-LENTES.
ES LO QUE ME PUSO EN ALERTA.

MEWTWO, ¿TE ESTÁS COM-PARANDO CON DEOXYS?
TÚ Y DEO-XYS SOIS COMPLE-TAMENTE DISTINTOS. SU ORIGEN RADICA...

¡...EN UN VI-RUS!
UN VIRUS DEL ESPACIO EXTERIOR SOMETI-DO A LA INFLUEN-CIA DE RAYOS LÁSER...
¡¡UN DÍA SE PRODUJO UNA MUTACIÓN SÚBITA, NUN-CA VISTA!! ¡¡EL VIRUS MUTÓ EN UN POKÉMON DE TIPO ÚNICO!!

¿DEOXYS ES UN POKÉMON VENIDO DEL ESPACIO?
¡¡EXACTO!!
¡QUE MEWTWO TUVIERA CONCIENCIA FUE UN ERROR! ¡LA HE SUPRIMIDO POR COMPLETO EN DEOXYS!
¡¡AHORA SOLO YO TENGO ACCESO A ESTE MISTERIOSO PODER DEL ESPACIO EXTERIOR!!
FOASH
FOASH
¡¡¡GIOVANIII!!!
¡¡¡PAGARÁS POR ELLO!!!
FOASH
FOASH

UN PODER COMO EL TUYO ES PELIGROSO, MEWTWO.
PERMÍTEME QUE TE AYUDE CON ESO.
CREC
ZUUUM
!!
CLANC
CLANC
¡¡MEWTWO!!
SE TRATA DE UNA HERRAMIENTA EXCLUSIVAMENTE DISEÑADA PARA RETENER A MEWTWO...
¡¡LA ATADURA M2!!
BZUUUM
NO SÉ CÓMO HAS CONSEGUIDO DESCUBRIR MI PARADERO... PERO EL EXCESO DE CONOCIMIENTO SIEMPRE TRAE LA DESGRACIA.

ISLA INTA.
YA HA AMANECIDO.
¿ESTARÁN BIEN ROJO Y LOS DEMÁS? NO PUEDO EVITAR SENTIRME MAL POR HABERME QUEDADO AQUÍ, EN ISLA INTA...
¡PERO YO TAMBIÉN TENGO MI MISIÓN AQUÍ!
¡EH! ¡¡BILL!!
¡¡CELIO!!
¡¡QUÉ ALIVIO VERTE DE NUEVO!!
EN ISLA PRIMA LOS TUMULTOS SE HAN AGRAVADO. CUANDO EL SURCAMAR HA ZARPADO HE ESCAPADO EN MI PROPIA LANCHA. ES POR ESO QUE LLEGO TAN TARDE...
NO PASA NADA. ¡¡ME ALEGRO DE PODER CONTAR CON TU AYUDA!!
DEBEMOS PONERNOS EN CONTACTO CON ELLAS.
¡¿PUEDO LLAMARLAS DESDE AQUÍ?!
¡CLARO!
RIIING RIIING RIIING RIIING RIIING RIIING
¡¡VOY, VOY!! ¡AAAH!
PUM PUM PUM PUM POM
¡¿SÍ?! ¡¿DIGA?! ¡AQUÍ LA SUCURSAL DE HOENN PARA EL MANTENIMIENTO DEL SISTEMA DE TRANSFERENCIA POKÉMON!
¡OFICINA DE AREDIA Y NEREIDA!

GIOVANNI

- LUGAR DE NACIMIENTO: CIUDAD VERDE
- CUMPLEAÑOS: 1 DE AGOSTO
- GRUPO SANGUÍNEO: O
- ANTIGUO LÍDER DE GIMNASIO DE CIUDAD VERDE, LÍDER DEL TEAM ROCKET

FUNDÓ LA ORGANIZACIÓN SECRETA TEAM ROCKET, CREADA EN EL CORAZÓN DE KANTO, AL MISMO TIEMPO QUE MANTENÍA SU POSICIÓN DE LÍDER DE GIMNASIO. DESPUÉS DE PERDER EN UN COMBATE CONTRA ROJO DISOLVIÓ LA ORGANIZACIÓN Y SALIÓ EN UN VIAJE QUE TENÍA POR OBJETO ENTRENARSE. POSTERIORMENTE RECONSTRUYÓ LA ORGANIZACIÓN INCORPORANDO A SIRD, CARR Y ORM, LAS TRES BESTIAS, ENVIADOS A ARCHI7 CON UN PLAN PARA CAPTURAR A DEOXYS. OBSERVANDO EL COMBATE DE DEOXYS CON ROJO, GIOVANNI HA OBTENIDO UNA INFORMACIÓN VITAL QUE LE HA PERMITIDO CAPTURARLO, PERO... ¡¿CUÁL ES SU VERDADERO OBJETIVO?!

CAPÍTULO 197

¡¿SÍ?! ¡¿DIGA?! ¡AQUÍ LA SUCURSAL DE HOENN PARA EL MANTENIMIENTO DEL SISTEMA DE TRANSFERENCIA POKÉMON!
¡OFICINA DE AREDIA Y NEREIDA!
BLOF BLOF
¡¿DIGA?! ¡¿DIGA?!
?
¡NEREIDA, AQUÍ HAY ALGUIEN CON UNA VOZ MUY RARA!
ES PORQUE HAS ACTIVADO LOS ALTAVOCES, AREDIA.
¡¿DI-GA?! ¡¿DI-GA?!
¡AH! ¡¡PUES ES VERDAD!!
BANG BOM CLANC
¡¿PER-DÓN?!! ¡¡¿DI-GA?!!
¡AREDIA, ESA OFICINA SIGUE TAN ANIMADA COMO SIEMPRE! ¡SOY BILL, Y CONMIGO ESTÁ CELIO!
¡¡CUÁNTO TIEMPO!! ¡¿QUÉ TAL?!
¡ESTOY EN ARCHI7 Y TENEMOS A UNA SITUA-CIÓN MUY GRAVE!
¡¡ASÍ QUE...!!

NECESITAMOS DE LA SAGACIDAD...
...DE LAS DOS HERMANAS GENIALES, ¡¡LAS CODESARROLLADORAS DEL SISTEMA DE TELETRANSPORTE!!

WIIIIIH

ZAS
¡¡SAUR!! ¡SEPÁRALO DE SU ATADURA!
¡MIS FUERZAS... NO...!
¡MEWTWO!

GGGUUU
ES INÚTIL.

BZZZ FLIC FLIC FLIC
EL MECANISMO DE RETENCIÓN PARA MEWTWO, LA ATADURA M2, ESTÁ OPERADO POR EL ORDENADOR CENTRAL R.
¡¡R, EXPLÍCALO TÚ MISMO!!
¡¡ENTENDIDO, JEFE!!

¡¡TÚ!!
¡¡MI NOMBRE ES R!!
¡¡VOSOTROS SOIS LOS QUE HABÉIS OSADO INTERFERIR!!
¡¡LA ATADURA M2 FUNCIONA DE MODO SIMILAR AL SISTEMA UTILIZADO CON EL PROFESOR OAK Y LOS PADRES DE VERDE!!
¡¡SIN EMBARGO, SU PODER ES MILES DE MILLONES DE VECES SUPERIOR!! ¡¡LOS MOVIMIENTOS NO TIENEN EFECTO Y LE ARREBATA EL VIGOR!!

¡AH!

¡¡NO VOY A DEJAR QUE VUELVAS A PENETRAR EN LA RED!!

BUUUM
¡¡SE HA QUEDADO ENCERRADO EN EL CIBERESPACIO!!
¡¡PORYGONZ!!

CLANC

¡¡JUA, JA, JA, JA, JA!! ¡¡MUAJAJA, JA, JA!!

R ES UN ORDENADOR EXCELENTE, UNA PENA QUE LE CONFIÁRAMOS LA PROGRAMACIÓN A CARR...

¡¡UOH!!

Y CON ESTO HEMOS TERMINADO...
LA PARTIDA HA ACABADO.
?!
¡¡¿¿QUÉ??!!

¡¡DEOXYS ES NUESTRO Y ES CAPAZ DE ADOPTAR TODAS SUS FORMAS!!
MEWTWO HA SIDO NEUTRALIZADO.
Y A VOSOTROS, LOS PROPIETARIOS DE LA POKÉDEX DE PUEBLO PALETA...

SSSH
SSSH
...OS DEJARÉ A MERCED DE LAS COPIAS DE DEOXYS.
SSSH

SE ACABÓ.
YA ME PUEDO MARCHAR SIN RE-SERVAS...
...E IR A RECUPE-RAR A MI HIJO.
ADIÓS.
ZAH
¡¡ESPERA, GIO-VANNI!!

¡NO ENTIENDO CÓMO ALGUIEN COMO TÚ HA PODIDO LLEGAR A SER LÍDER DE GIMNASIO DE CIUDAD VERDE, MI PREDE-CESOR!
CHAC
¡¡CREÍA QUE EL AUTOR DE ESE LIBRO TENDRÍA UN ÁPICE DE DIGNIDAD,
PERO ERES UNA RATA!!
El misterio de la tierra
¿Y?
¡¡COMO SI ME IMPORTARA!!
ZAAAM
FLAP
FLAP
FLAP
FLAP
SZZZZ
...
BAAM

¡¿QUÉ?!
BOOOM
¡UF! POR FIN OS ALCANZAMOS.
¡¡AQUÍ LLEGA EL ESCUADRÓN DE BELLEZAS!!

¡¡ÚLTIMA!!

¡HABÉIS RESCATADO SANOS Y SALVOS AL PROFESOR Y LOS PADRES DE VERDE!
EN ESTE LUGAR PODRÍA PASAR CUALQUIER COSA. SUBID A MI DRAGONITE Y OS LLEVARÉ A UN LUGAR SEGURO.

PAPÁ... MAMÁ...
DESPUÉS DE TANTO TIEMPO ESPERANDO ENCONTRAROS... SIENTO QUE TODO HAYA SALIDO ASÍ.

PERO... PAPÁ, MAMÁ...
AHORA ESTA SOY YO... SOY ASÍ...
MIENTRAS ESTUVE SEPARADA DE VOSOTROS ASUMÍ UNA SERIA RESPONSABILIDAD.
LA MISIÓN DE COMBATIR EL MAL...
¡PERO NO OS PREOCUPÉIS!
¡¡VENCERÉ Y REGRESARÉ CON UNA ENORME SONRISA...!!
...
¡MUY BIEN! ¡¡ESTA VEZ ME UNIRÉ A LA BATALLA!!
¡LORELEI! ¿PUEDES OCUPARTE DE MI DRAGONITE?
¡POR SUPUESTO!
¡LORELEI!
POR FAVOR, CUIDA DE PAPÁ Y MAMÁ.
...
¡CLARO!

¡ABUELO, RÁPIDO! ¡VE CON LOS PADRES DE VERDE...!
¡¡LOS NUEVOS DEOXYS SIGUEN AVANZANDO!!
¡NO, AZUL! ¡YO ME QUEDO!
¡AÚN TENGO UN ASUNTO PENDIENTE EN ESTA TORRE!

¡¡VERDE, VAMOS JUNTOS!!
CHAC
¡¿EH?!
¡¡DASH!!

¡¡PROFESOR!! ¡¿QUÉ PIENSAS HACER?!
¡¡TENEMOS QUE RECUPERARLAS!!

¡¡¡LAS TRES POKÉDEX ROBADAS!!!

SISTEMA DE MANTENIMIENTO POKÉMON
SUCURSAL DE HOENN
¿DE VERDAD DIJERON ESO
LOS EJECUTIVOS DEL TEAM ROCKET...?
¡SÍ! ¡¡ESO ES!!

SEGURO QUE HABLARON DE HOENN.
¡LAS PIEDRAS ROJA Y AZUL!
¡¡¡RUBÍ Y ZAFIRO!!!
¡¡EL CLIMA DE HOENN SE DEBE A SU PODER!!
ZIU ZIU
¡¡AHORA LAS UTILIZAREMOS PARA INVOCAR LA CUARTA FORMA DE DEOXYS!!
¡HOENN, DONDE VIVÍS VOSOTRAS DOS!
WOOOO
¿Y VISTEIS CON VUESTROS PROPIOS OJOS CÓMO CAMBIABA EL POKÉMON?
EXACTO, NO EVOLUCIONÓ, SINO QUE CAMBIÓ DE FORMA...
¡ESO ES!
¿QUÉ PIENSAS, HERMANA?
TODAVÍA NO LO SÉ.

PERO TAL VEZ CON LO QUE HE OÍDO PUEDA CONJETURAR ALGUNAS POSIBILIDADES...
TACA TACA TACA
HAY POKÉMON QUE NO EVOLUCIONAN Y CUYA APARIENCIA EXTERIOR CAMBIA...

CADA SPINDA ES DIFERENTE A OTRO.
¡¿NO SE HAN DESCUBIERTO HASTA 28 TIPOS DE SUBESPECIES DE UNOWN?!

PERO, NEREIDA, ESOS POKÉMON SOLO SON DISTINTOS, NO CAMBIAN DE APARIENCIA.
DESCARTEMOS ESA LÍNEA.

ENTONCES, ¿QUÉ TE PARECE ESTE?
¡CASTFORM!
¡ADOPTA DIFERENTES FORMAS DEPENDIENDO DEL TIEMPO!

¡SÍ! ¡ESO SE ACERCA MÁS!
CASTFORM ES UN POKÉMON QUE CAMBIA SEGÚN EL TIEMPO QUE HAGA. SI CAMBIAMOS TIEMPO POR CLIMA...

¡UN POKÉMON CUYA APARIENCIA CAMBIA CON EL CLIMA!
PARA RESUMIR, PODRÍA SER UN POKÉMON QUE CAMBIARA DE FORMA DEPENDIENDO DEL ENTORNO Y EL LUGAR.

¡¡ENCAJA!!
¡¡TIENE QUE SERLO!!
¡¡EL GRAN PODER DE LA FORMA ATAQUE Y LAS EXTRAORDINARIAS PROPIEDADES DEFENSIVAS DE LA FORMA DEFENSA!!
¡VIMOS ESOS DOS TIPOS DESDE EL COMIENZO!
¡¡SEGURO QUE SON FORMAS QUE PUEDEN PRODUCIRSE EN KANTO!!
¡Y LUEGO ESTÁ LA FORMA VELOCIDAD, CON SU EXTRAORDINARIA RAPIDEZ!
LA NORMAL PARECE SER AQUELLA EN LA QUE SUS PODERES SE EQUILIBRAN MEJOR...
¡LA PRIMERA VEZ QUE LAS VIMOS TODAS FUE CUANDO TRAJERON LA PIEDRA ROJA Y LA PIEDRA AZUL!

NO ACABO DE ENTENDER LA MECÁNICA,
¡¡PERO PARECE QUE ESAS DOS PIEDRAS HAN REPRODUCIDO EL CLIMA DE HOENN EN KANTO!!
SHUUUUUN
¡LA FORMA VELOCIDAD Y LA FORMA NORMAL SOLO PUEDEN PRODUCIRSE EN HOENN, SEÑAL DE QUE DEBEN DE HABERLAS UTILIZADO!
¡¡POR ALGO OS LLAMAN "LAS DOS HERMANAS GENIALES"!! ¡¡HEMOS HECHO BIEN EN LLAMAROS!!
GRACIAS BILL, PERO NO DEBERÍAS LANZAR LAS CAMPANAS AL VUELO...

HAY TANTO QUE DESCO- NOCEMOS...
¡¡COMO LA FUENTE DE ENERGÍA DE ESAS DOS PIEDRAS!!

¡¡CIERTO!! ¡¡LO DEJO EN VUESTRAS MANOS!! ¡¡SEGUIMOS EN CON- TACTO!!
¡¡MUCHAS GRACIAS A LAS DOS!!
¡¡VUESTRA TEORÍA ME HA DADO UNA PIS- TA QUE QUIZÁ SIRVA PARA SOLUCIO- NAR TODO ESTO!!

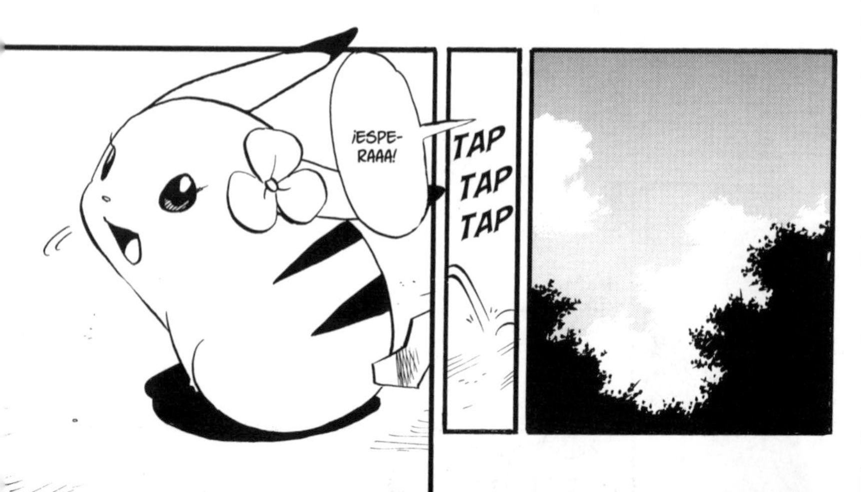
TAP
TAP
TAP
¡ESPE- RAAA!

BUF...
HACE TANTO QUE NO LE VEO QUE ESTOY NERVIOSA, CHUCHU.
AZUL HABRÁ VUELTO YA AL GIMNASIO DE CIUDAD VERDE.
Ciudad Verde
GIMN
TÚ TAMBIÉN TENDRÁS GANAS, ¿NO, CHUCHU? ESTARÁ ROJO, ¡ASÍ QUE SEGURO QUE TE ENCUENTRAS CON PIKA!
¡BUENOS DÍAS!
¿AZUL?

ZZZUM

HMMM...

LA SEMANA PASADA DIJO QUE IBA AL LABORATORIO DEL PROFESOR EN PUEBLO PALETA. CREÍA QUE YA HABRÍA REGRESADO...
¿EH? ¿NO HABRÁ VUELTO?

¡UAAAH! ¡UAH! ¡UAH! ¡¡UAH!!

QUÉ SUUUSTO... ES UN HOLOGRAMA QUE REACCIONA ANTE LOS VISITANTES...
LO SIENTO MUCHO, PERO AHORA MISMO ESTOY AUSENTE.
BZZZ
SOY AZUL, EL LÍDER DE GIMNASIO DE CIUDAD VERDE.
TODOS LOS ENTRENADORES QUE DESEEN RETARME SON BIENVENIDOS.
FZZZ FZZZ FZZZ

ZOOOOM
ESTOS SON POKÉMON QUE HE ENTRENADO PERSONALMENTE. ELLOS SERÁN TUS OPONENTES.
AUNQUE, YA QUE HAS VENIDO HASTA AQUÍ, VAS A PARTICIPAR EN UN COMBATE.

SI VENCES RECIBIRÁS ESTA MEDALLA AZUL, CUYO VALOR ES EL MISMO QUE LA DE UN COMBATE OFICIAL.
RRRR

ÑUC ÑUC
ÑUC

...
PAT PAT
¿QUÉ DICES?
¿QUIERES INTENTARLO?

¡¡EMPIEZA EL COMBATE!!

FIU FIU FIU
¡¡DANZA PLUMA!!

¡¡CUIDADO, CHUCHU!!

FAASH
¡¡ATAQUE ALA!! ¡¡A RESGUARDO!!
¡UAH! ¡¡AHORA, ALAKAZAM!!
SWOUOU
¿EH?
¡¿IMITACIÓN?!
¡¡HA COPIADO LA HABILIDAD DE CHUCHU!!
FSSSH
FSSSH

BA UUM

PARALIZADA
FRUS FRUS

UAAAH... NO ME HA DADO TIEMPO NI A REACCIONAR.
LO SIENTO CHUCHU, MIS INSTRUCCIONES HAN SIDO PENOSAS...

POR OTRO LADO, ¡ES INCREÍBLE QUE AZUL PUEDA LUCHAR ASÍ SIN NI SIQUIERA ESTAR PRESENTE!
¡QUÉ ENTRENADOR POKÉMON MÁS FUERTE!

!!

AZUL, NO HA ELIMINADO LA ESTATUA DE SU PREDECESOR.
CUANDO EL EXLÍDER SE MARCHÓ SE CONVIRTIÓ EN UN GIMNASIO SIN LÍDER.
DESPUÉS ROJO SE PRESENTÓ AL EXAMEN PARA NUEVO LÍDER DE GIMNASIO,
PERO AL FINAL QUIEN CONSIGUIÓ EL PUESTO FUE AZUL.
HA PASADO MUCHO TIEMPO DESDE ENTONCES.
GIMNASIO DE VERDE
CERRADO

VENGA, CHUCHU, ÁNIMO.
POP
NO PODEMOS HACER NADA CONTRA LOS POKÉMON DE AZUL.

FAH

UNA PENA. YA VOLVEREMOS.
TAL VEZ EN EL LABORATORIO DEL PROFESOR HAYA ALGUNA URGENCIA Y POR ESO SE HA RETRASADO.

¿ALGUIEN QUE VIENE CON LA INTENCIÓN DE RETAR AL LÍDER?

¡¡ME SUENA DE ALGO!!
¿QUIÉN PODRÁ SER?

ASÍ QUE ESTO ES...
...CIUDAD VERDE.
!!
¡¡PERO SI ES...!!
¡NO ME DIGAS QUE...!

ES LA PROPIETARIA DE LA POKÉDEX DE KANTO... ¡AMARILLO!
VERDE LA DEJÓ A CARGO DE LAS DOS PLUMAS. ES ESA CHICA QUE UTILIZA UN PIKACHU...

¿NO ES EL CHICO QUE ENTRENÓ DESDE PEQUEÑO CON VERDE...?
¡¿PLATA?!
FAH
TAH
¿QUÉ ESTÁS HACIENDO AQUÍ?
¿EH?
PUES... ES QUE YO SOY DE AQUÍ...
!!

VEAMOS... SEGÚN LOS DATOS DE LOS PROPIETARIOS DE LA POKÉDEX QUE ME DIO VERDE...
P
b

ES CIERTO, SU LUGAR DE ORIGEN ES CIUDAD VERDE.
CONOCIDA COMO AMARILLO DE LA ARBOLEDA VERDE.
NOMBRE:
AMARILLO DE BOSQUE VERDE.
CIUDAD DE ORIGEN:
CIUDAD VERDE
Y...

SSSH
...ES MAYOR QUE YO...
?
14 AÑOS
13 AÑOS

¿Y TÚ, PLATA, QUÉ HACES AQUÍ?
...
¿QUE QUÉ HAGO AQUÍ?
CIUDAD VER
GIM

HE VENIDO A ENCONTRAR MIS RAÍCES...

¿ENCONTRAR TUS RAÍCES?
SÍ.

NO SÉ DÓNDE NACÍ, Y NO TENGO NI IDEA DE QUIÉNES SON MIS PADRES.
HE VENIDO A CIUDAD VERDE PENSANDO QUE PODRÍA ENCONTRAR UNA PISTA.
ASÍ QUE AQUÍ ESTOY.

ESTE SNEASEL Y YO FUIMOS SECUESTRADOS CUANDO ERA NIÑO Y RECIBIMOS UN ENTRENAMIENTO FORZADO.
IGUAL QUE VERDE, PERO...

ELLA LOGRÓ PONERSE EN CONTACTO CON SUS PADRES. AHORA MISMO ESTARÁ CON ELLOS EN ALGÚN LUGAR DE ARCHI7.
ME ALEGRO... POR ELLA.

AL FIN HE PODIDO VERLA FELIZ
AHORA DEBERÍA TOCARME A MÍ...

¡ENTIENDO! ¿ESTÁS BUSCANDO ALGUNA PISTA DE TU NACIMIENTO EN VERDE?
SI ES ASÍ...

¡¡QUIZÁ PUEDA AYUDARTE!!

¿CUANDO TE SECUESTRARON ESTABAS CON ESTE SNEASEL?
AUNQUE ENTONCES FUERAS DEMASIADO PEQUEÑO PUEDE QUE ÉL LO RECUERDE.

CUANDO LOS TOCO ASÍ, PUEDO PERCIBIR LA MEMORIA DE LOS POKÉMON...
NO, ES INÚTIL.

¿EH?
LO HE INTENTADO MUCHAS VECES.

LANCE INTENTÓ AYUDARME.
NO LOGRÓ CAPTAR NADA ANTERIOR AL DÍA EN QUE NOS SECUESTRARON.
SUPONGO QUE NO PUEDE RECORDAR POR CULPA DEL TRAUMA.

¿AH, NO...?

¡PERO PLATA! ¡HE LOGRADO CAPTAR ALGO!
¡¿QUÉ?!

¡QUIZÁ CIUDAD VERDE HAYA DESPERTADO ALGÚN RECUERDO LATENTE EN TU SNEASEL...!
¡¡UNA ZONA DE SU MEMORIA QUE ESTABA CERRADA!!

CHAC

SNEASEL, CONCÉNTRATE UN POCO EN ESE RECUERDO.
VOY A DIBUJAR LO QUE HAY EN TU MENTE.
SCRICH
SCRICH

¡...!
CIUDAD VERDE
GIMNASIO
FAH
¿QUÉ OCURRE?

¡¡DASH!!

ARF
BUF
¿POR QUÉ...?
AGH
¿POR QUÉ...?
¿QUÉ HACE EN LA MENTE DE SNEASEL ESTA...?

¡¿ESTA ES-
TATUA DEL
ANTIGUO
LÍDER DE
GIMNASIO?!

¡PROFESOR!
¡¿CÓMO QUE VAMOS
A RECUPERAR LAS
POKÉDEX?!
ARF
AGH
AH
¡LO QUE
OYES!

SHUUU
SHUUU
¡LA TRES
POKÉDEX
ROBADAS
DEBEN DE
ESTAR EN EL
LABORATORIO
DE ESTA
PLANTA DE
LA TORRE
DESAFÍO!
¡LOS
DEOXYS...
...NOS
ALCANZAN!
¡YO
ME
OCUPO!
¡¡TENGO
ALGO
IDEAL
PARA...
POM

FLUUUF
...PASILLOS ESTRE-CHOS!!
BOING
¡¡HACIA ALLÍ!!
Laboratorio
¡MAGNÍ-FICO!
¡¡AQUÍ ESTÁ!!

ESOS TIPOS DEL TEAM ROCKET, VERDE,
ESTABAN PERSIGUIENDO A DEOXYS, PERO NO IBA A SER NADA FÁCIL DE CAPTURAR.
POR ESO NECESITABAN MIS POKÉDEX.

EL APARATO DE ENSUEÑO CON EL QUE ALGUNOS ENTRENADORES ELEGIDOS GRABAN TODAS SUS AVENTURAS Y COMBATES POKÉMON.

CHAC CHAC
ME ATACARON Y SE LLEVARON LAS TRES POKÉDEX...
Y DESPUÉS...

¡¡DEBEN DE HABER USADO LOS DATOS DE VUESTROS COMBATES!!
WHN
¡¡UNA GRAN AYUDA PARA CAPTURAR A DEOXYS!!

COPIARON LA ESTRUCTURA DE LA POKÉDEX Y FABRICARON SUS PROPIOS APARATOS.

¡ESTOY AL CORRIENTE! ¡¡UNO DEL TEAM ROCKET LA LLEVABA DURANTE EL COMBATE ENTRE ROJO Y DEOXYS!!

¡ERA UN APARATO DE ASPECTO SINIESTRO, COMO UNA POKÉDEX NEGRA!

¡EXACTAMENTE! ¡ES CAPAZ DE GRABAR LOS DATOS DE LOS COMBATES, LOS MOVIMIENTOS Y SU INTENSIDAD, Y ADEMÁS INCLUYE UNA FUNCIÓN ÚNICA QUE CUANTIFICA LOS DATOS DE LA FUERZA DE LOS POKÉMON!
¡LO PREPARARON TODO PARA QUE DEOXYS COMBATIERA CON ROJO, AZUL Y VERDE!

¡¡QUERÍAN REUNIR INFORMACIÓN DE CARA A SU CAPTURA!!

¡¡PERO VAMOS A CONTRAATACAR!!
VERDE, SUJETA EL EXTREMO DE LA BATA DE LABORATORIO.
RAS
SON...
¿¡LAS NUEVAS POKÉDEX?!
ROJO
¡ESTÁN VACÍAS!
CHAC
¡PERO VOY A TRANSFERIR LA INFORMACIÓN DESDE LAS VIEJAS POKÉDEX!
CLAC

FSSSSSH
¡¡JIGOOW!!
BANG
¡¡OH, NO!!
FLUF
ZUM ZUM ZUM
BAM BAM BAM
¡AGUANTA, VERDE!
¡¡TODAVÍA NO SE HA COMPLETADO LA TRANSFERENCIA!!
¡¡DÉJALO EN MIS MANOS, PROFESOR!!
BOOOM

FUUUM
¡¡AH!!
CRAS
¡¡LAS POKÉDEX...!!
¡POR LOS PELOS! ¡HE CONSEGUIDO TRANSFERIR LOS DATOS! ¡POR SUERTE, YA ESTABAN VACÍAS!
¡¡Y POR ÚLTIMO, LO MÁS IMPORTANTE!! ¡¡VERDE, SACA LO QUE TE CONFIÉ!!
¡¿TE REFIERES A LO QUE HABÍA DENTRO DEL SOBRE?!
¡OOOH!
¡¡OOOH!!
Para Verde
¡¡ESO ES!! ¡¿VISTE LO QUE HABÍA DENTRO?!
¿EN EL SOBRE? ERAN TRES CHIPS.
Para Verde
¡¡LLEVAN EL PROGRAMA DEX IV!!

BIP
...PARA LA ACTUALIZACIÓN DE LA NUEVA POKÉDEX!!
¡¡ES EL COMPONENTE MÁS IMPORTANTE...
CLAC
CLIC
WIIIIIIIUNH
VERDE
AZUL
ROJO
¡DE LOS TRES...
...ERES LA MÁS ASTUTA!
BIP BIP BIP
LA PARTE MÁS IMPORTANTE PARA LA NUEVA VERSIÓN DE LA POKÉDEX... ¿Y ENTONCES POR QUÉ LA DEJASTE A MI CARGO?
PORQUE...
...
ESOS DOS CHICOS TIENEN LA SANGRE DEMASIADO CALIENTE, SI SE LO HUBIERA DEJADO A ELLOS PROBABLEMENTE SE LO HABRÍAN REVELADO A LOS ENEMIGOS A LA MENOR PROVOCACIÓN. ¡SABÍA QUE ESTARÍA EN LAS MEJORES MANOS!

MIENTRAS ME VIGILABAN YO DISIMULABA...
TRI-TICKET
A Rojo

MIENTRAS ME PLE-GABA A LAS DEMANDAS DEL TEAM ROCKET... LO QUE TRATABA DE EVITAR ERA QUE ESE COMPONENTE CAYERA EN SUS MANOS.
FUM

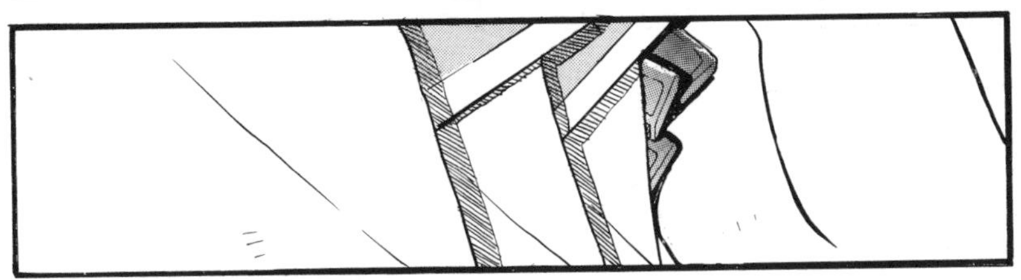

¡¡ASÍ QUE ESCON-DISTE LOS CHIPS EN MI SO-BRE!!
¡CREÍA QUE ESTARÍA MÁS SEGURO LEJOS DE MÍ!
LA POKÉDEX NACIONAL TENDRÁ INFORMACIÓN SOBRE POKÉMON NUNCA VISTOS.
SI ESOS DATOS FUERAN ROBADOS SE DESATARÍA UNA NUEVA CRISIS. ¡¡AQUÍ HAY POKÉMON IMPORTANTES!!
¡SHIN!
¡OH! ¡VAMOS ALLÁAA!

BZZUM
VERDE
¡¡ACTUALIZACIÓN COMPLETADA!!
¡¡¡LA NUEVA POKÉDEX ESTÁ LISTA!!!

BRRRM
BOM
BOM
BOM
BOM
¡¡UGH...!!
FSHU
¡¡CUANDO ACERTAMOS SE DETIENEN UN INSTANTE, PERO SE RECUPERAN CASI AL MOMENTO!!
¡¡EL COMBATE CON ESTOS DEOXYS PARECE IRREAL!!
BAUM
¡¡SE COMPORTAN COMO AUTÓMATAS!!

¡ROJO! ¡LA ESTRATEGIA LÓGICA PARA ESTE TIPO DE SITUACIÓN
SERÍA LOCALIZAR AL DEOXYS REAL ENTRE TODOS ESTOS Y COMBATIRLO!
¡¡PROBABLEMENTE ESTÁ CONTROLANDO LAS COPIAS DESDE AQUÍ CERCA! ¡¡VAMOS A BUSCARLO!!

BOOOM
GROAAR
...

LO... LO SIENTO, ROJO...
SI PUDIERA LIBERAR TODO MI PODER...
CREC
CREC
¡UGH...!
¡MEWTWO!
¡JUAAA, JA, JA JA! ¡¡¡CUANTO MÁS ESFUER-ZOS HAGA POR LIBERARSE MÁS INMOVILIZARÁ LA ATADURA M2 A MEWTWO!!!

¡NO!
¡NO LE HA-GAS CA-SO!
POR SUERTE, EL ORDENA-DOR CENTRAL NO ES CAPAZ DE LEER MI MENTE.
¡CREO QUE LA ESTRA-TEGIA DE AZUL ES ACERTADA!

¡¡SÍ, PERO ¿QUÉ DE-BERÍA HA-CER...?!!
PARA EMPE-ZAR...
...LIBERADME CON VUESTROS MOVIMIENTOS...
¡¡ES IMPO-SI-BLE!!
¡¡R NO DEJA DE REPETIRLO!! ¡¡EL SISTEMA ESTÁ HECHO A PRUEBA DE MOVIMIENTOS POKÉMON!!
ESO ES PORQUE NO HAY NINGÚN MOVIMIENTO QUE PUEDA ROMPER LA ATADURA M2.
DE HECHO, SI LO HUBIERA SERÍA TAN FUERTE QUE ACABARÍA CONMIGO.

PERO HABÉIS RECIBIDO LOS SECRE-TOS DE ÚLTIMA.
EL MOVIMIENTO DEFINITIVO DE TIPO PLANTA, PLANTA FEROZ, EL DE TIPO FUEGO, ANILLO ÍGNEO, Y EL DE TIPO AGUA, HIDROCAÑÓN.
¡¿HA-BLAS EN SERIO?! ¡¡NO SO-BREVIVI-RÍAS!!
¡ESCU-CHA BIEN!

LO QUE ESTOY DICIENDO...
...ES QUE HAY UNA MANERA DE DESTRUIR LA ATADURA SIN HERIRME...
PE... ¡PERO ¿CÓMO?!
PIENSA EN LOS TIPOS DE POKÉMON. ¿QUÉ FUNCIONA CONTRA EL TIPO FUEGO?
EL TIPO AGUA.
¿Y QUÉ FUNCIONA CONTRA EL TIPO AGUA?
EL TIPO PLANTA.
Y COMO BIEN SABES, CONTRA EL TIPO PLANTA...
LA MEJOR RESPUESTA ES EL TIPO FUEGO.
LOS TRES TIPOS FORMAN UN TRIÁNGULO DE RELACIONES QUE SE CANCELAN LAS UNAS A LAS OTRAS.
¡AH...!
¿LO ENTIENDES?
¡¡LANZADOS SIMULTÁNEAMENTE LOS TRES TIPOS DE MOVIMIENTOS DESTRUIRÁN EL MECANISMO DE RETENCIÓN...
...Y AL MOMENTO SE NEUTRALIZARÁN LOS UNOS A LOS OTROS!!

¡¡PE-
RO...!!
POR SUPUESTO,
ES PELIGROSO. EL
MÁS MÍNIMO DESVÍO
O DESINCRONIZA-
CIÓN DESATARÍA
TODA ESA COLO-
SAL ENERGÍA
SOBRE MÍ.

PERO SI
TARDA-
MOS...

BIEN...

LO
HAREMOS.

PERO MEWTWO... EL
VERDADERO DEOXYS YA
NO ESTÁ AQUÍ. ¡¡VAMOS
A SEGUIR ESTA ESTRA-
TEGIA, LIBERARTE Y
COMBATIR A LAS
COPIAS!!

¡¿QUÉ
QUIE-
RES
DE-
CIR?!
¡¿CÓMO
SABES
QUE NO
ESTÁ
AQUÍ?!

LO SÉ.
NO
APARECE
NI POR
ASOMO
AQUELLA
SENSA-
CIÓN.
LA QUE
PRESIONA
EL PECHO
DESDE EL
FONDO...
NO LA
TENGO,
AQUÍ.

¡¡Y MIENTRAS LAS COPIAS Y R NOS RETIENEN...
RRRRR
...EL VERDADERO DEOXYS...!!
JU, JU, JU, JU... BIENVENIDO, JEFE.
CLANC
GRACIAS, SIRD, CARR Y ORM...

DEOXYS.

¡PERMÍTENOS CONTEMPLAR SIN MÁS DILACIÓN TU EXTRAORDINARIO PODER!
¿VES ESTE PAÑUELO?
¿SU DUEÑO ESTÁ VIVO? SI LO ESTÁ, ENSÉÑAME DÓNDE SE ENCUENTRA.

...
SHIIIIN
ZUUM
FUAAAAASH

CHAC
CIUDAD VERDE

¡¿CÓMO PUEDE SER...?!
¡EN MI CIUDAD...! ¡EN CIUDAD VERDE...!

JU... JU, JU, JU... ¡¡CUÁNTO HABÍA DESEADO POSEER ESTE PODER PSÍQUICO...!!

...

¡¡MARCHANDO A LA REGIÓN DE KANTO!!
¡¡TOMAD RUMBO HACIA CIUDAD VERDE!!

POKÉMON
ROJO FUEGO Y VERDE HOJA

¿Y CÓMO ES LA EDICIÓN ESPAÑOLA DE POKÉMON?

El manga de Pokémon lleva décadas siendo uno de los más populares en el mercado japonés, y por fin llega a España de mano de Norma Editorial. Por primera vez en castellano, los amantes de los Pokémon y los aspirantes a entrenadores podrán leer la que es, sin duda, la mejor adaptación en manga de una de las sagas de videojuegos más famosas del mundo.

En Japón esta serie ya supera ya los 50 tomos, ¡y lo que le queda! Pero como este manga era inédito en España, eso nos daba la oportunidad de presentar a los lectores una edición más cómoda y comprensible, organizada no solo por volúmenes consecutivos, sino también por sagas, las de los videojuegos originales.

Así que optamos por ordenar la serie con una doble numeración: por un lado, el número de volumen de la serie Pokémon, y por otro, un subnúmero que indica el volumen dentro de la saga. Es decir, que el tomo 11 de la edición española de *Pokémon* es también el tomo 3 de *Pokémon Rubí* y *Zafiro.*

El motivo es muy sencillo: de ese modo, si algún lector solo quiere comprarse (o empezar) por una saga concreta, puede hacerlo sin necesidad de adquirir otros tomos que, a priori, no le llaman tanto la atención.

Para que quede más claro, aquí tenéis la planificación de la serie:

VIDEOJUEGO	VOLUMEN DE LA COLECCIÓN MANGA	VOLUMEN DE NORMA
POKÉMON EDICIÓN ROJA/ POKÉMON EDICIÓN AZUL	POKÉMON ROJO, VERDE Y AZUL 1 Y 2	1 Y 2
POKÉMON EDICIÓN AMARILLA	POKÉMON AMARILLO 1 Y 2	3 Y 4
POKÉMON EDICIÓN ORO/ POKÉMON EDICIÓN PLATA/ POKÉMON EDICIÓN CRISTAL	POKÉMON ORO, PLATA Y CRISTAL 1 A 4	5 A 8
POKÉMON EDICIÓN RUBÍ/ POKÉMON EDICIÓN ZAFIRO	POKÉMON RUBÍ Y ZAFIRO 1 A 4	9 A 12
POKÉMON EDICIÓN ROJO FUEGO/ POKÉMON EDICIÓN VERDE HOJA	POKÉMON ROJO FUEGO Y VERDE HOJA 1 Y 2	13 Y 14
POKÉMON EDICIÓN ESMERALDA	POKÉMON ESMERALDA 1 Y 2	15 Y 16
POKÉMON EDICIÓN DIAMANTE/ POKÉMON EDICIÓN PERLA	POKÉMON DIAMANTE Y PERLA 1 A 5	17 A 21
POKÉMON EDICIÓN PLATINO	POKÉMON PLATINO 1 Y 2	22 Y 23
POKÉMON EDICIÓN ORO HEARTGOLD/ POKÉMON EDICIÓN PLATA SOULSILVER	POKÉMON ORO HEARTGOLD Y POKÉMON PLATA SOULSILVER 1 Y 2	24 Y 25
POKÉMON EDICIÓN NEGRA/ POKÉMON EDICIÓN BLANCA	POKÉMON NEGRO Y BLANCO 1 A 5	26 A 30

Y COMO SUELEN DECIR... ¡HAZTE CON TODOS!™

POKÉMON™
ROJO FUEGO Y VERDE HOJA

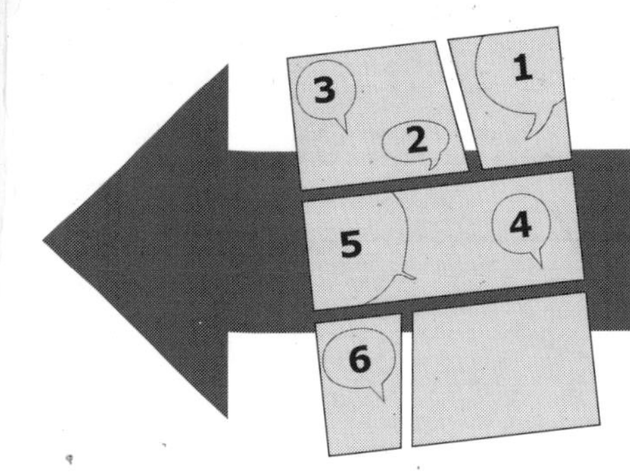

¡Atención!

Este manga se publica en sentido de lectura oriental, así que tienes que empezar a leer por la que sería la última página y seguir las viñetas de derecha a izquierda.

POKÉMON vol. 13

POKÉMON Rojo Fuego y Verde Hoja vol. 1

POCKET MONSTERS SPECIAL 22, 23 y 24
by Hidenori KUSAKA, Satoshi YAMAMOTO

Original Japanese edition published by SHOGAKUKAN.
Spanish translation rights in Spain arranged with SHOGAKUKAN
through The Kashima Agency.

Norma Editorial, S.A. Passeig de Sant Joan, 7, principal.
08010 Barcelona. Tel.: 93 303 68 20 – Fax: 93 303 68 31.
E-mail: norma@normaeditorial.com
Traducción: Óscar Tejero (DARUMA Serveis Lingüístics, SL)
Corrección: Red Cameo
Realización técnica: Double Cherry
Depósito Legal: B 24438-2015
ISBN: 978-84-679-2512-8
Printed in the EU

www.NormaEditorial.com
www.normaeditorial.com/blogm